"¿Qué es la teología  James Hamilton como u buen escritor. Este pequ ...u en la suposición previa de que la amp.... narrativa bíblica sesenta y seis libros escritos por numerosos autores e incluyendo historias, poemas, proverbios, cartas y apocalipsis poseen una profunda unidad interior. Su unidad surge de su inspiración divina, y es de hecho la verdadera historia del mundo entero. Hamilton enseña a sus lectores a involucrarse en la teología bíblica, permitiendo que la historia bíblica nos forme y nos conforme a la voluntad de Dios".

**Bruce Riley Ashford**, Administrador Académico, Decano de la Facultad, y Profesor asociado de teología y cultura en *Southeastern Baptist Theological Seminary*

"Teología" es una palabra que viene con un equipaje. La mayoría de la gente, como yo, encuentra que sus cerebros se apagan un poco al mencionarla, principalmente porque despierta el mismo tipo de sentimientos que palabras como cálculo y cita con el dentista. Pero desde el principio de este libro James Hamilton nos asegura que no está haciendo acrobacias mentales (aunque estoy seguro de que podría si quisiera); Más bien, nos está mostrando que si la Biblia es una historia, y Dios es un narrador, entonces la teología bíblica es menos como las matemáticas y más como la literatura; es menos como un frío estudio de las propiedades químicas de la pintura y más como mirar a un Van Gogh. Este es un libro que desearía haber leído hace mucho tiempo".

**Andrew Peterson**, cantante/compositor; autor de la Saga de *The Wingfeather*.

"Este corto y accesible libro muestra cómo podemos dejar de hacer que la Biblia solo trate de nosotros, reduciéndola a otro libro de autoayuda. Cualquiera que lea ¿Qué es la teología bíblica? comenzará a descubrir de qué trata realmente la Biblia y tendrá más experiencias de ¡Ahora lo entiendo! mientras equipa a los lectores para trazar los hilos temáticos y las resoluciones de la historia de la Biblia desde el principio hasta el final".

**Nancy Guthrie**, autora de la serie de estudios bíblicos *"Ver a Jesús en el Antiguo Testamento"*.

"La lectura desorientada de la Biblia lleva a una vida desorientada. Con demasiada frecuencia el lector de la Biblia se lanza en paracaídas a un pasaje sin entender el contexto inmediato del texto o el contexto general de toda la Biblia. Dirigirse a la historia completa de la Biblia es la única manera de interpretarla correctamente y vivirla correctamente. Obtener esta perspectiva interpretativa de toda la Biblia es la carga de la teología bíblica, y James Hamilton nos ha dado una excelente introducción a esta importante pero descuidada disciplina. Si se aplica el enfoque interpretativo del libro de Hamilton, el lector podrá entender mejor la Palabra de Dios, conocer la mente de Cristo y glorificar a Dios."

**K. Erik Thoennes**, Profesor de Teología en Talbot School of Theology; Pastor de *Grace Evangelical Free Church*, La Mirada, California.

"Siempre es un placer leer un libro escrito por alguien saturado de la Escritura. Este es uno de esos libros".

**Douglas Wilson**, Pastor, *Christ Church*, Moscú, Idaho.

"Es un emocionante privilegio observar y beneficiarse del crecimiento de la disciplina de la teología bíblica en nuestra generación. Pero en la explosión de la literatura, hemos necesitado una introducción simple, breve y de nivel popular, alguien que nos proporcione una vista aérea del bosque antes de empezar a abrirse camino entre todos los árboles. Esto es lo que James Hamilton ha hecho por nosotros aquí. *¿Qué es la Teología Bíblica?* proporciona un salto muy útil para los estudiantes principiantes, y los estudiantes de todos los niveles serán bendecidos en el recordatorio de los maravillosos patrones y temas que hacen de las Escrituras un libro tan glorioso".

**Fred G. Zaspel**, Pastor en *Reformed Baptist Church*, Franconia, Pennsylvania.

"Estoy realmente sorprendido por todo lo que James Hamilton ha incluido en este pequeño volumen. *¿Qué es la teología bíblica?* Es una atractiva extracción escrita de años de estudio erudito y devocional de la Biblia. El lector encontrará una guía sucinta, clara y convincente de la historia general de las Escrituras. Estará en mi lista de libros prioritarios para recomendar a cualquiera que quiera entender mejor la Biblia, el mundo y su lugar en la historia de Dios. Este es un regalo por el cual estoy sumamente agradecido."

**Rob Lister**, Profesor Asociado de Estudios Bíblicos y Teológicos, *Talbot School of Theology*.

"¿Quieres conocer mejor tu Biblia? ¡Claro que sí! James Hamilton te puede ayudar. *¿Qué es la teología bíblica?* es un manual para ver cómo los muchos libros de la Biblia cuentan la única historia sobre Jesucristo: quién es y qué ha hecho. El Dr. Hamilton te ayudará a amar más a Jesús al entender mejor tu Biblia".

**C. J. Mahaney**, Pastor Principal en *Sovereign Grace Church*, Louisville, Kentucky.

# ¿QUÉ ES LA TEOLOGÍA BÍBLICA?

Para Evie Caroline
nuestra pequeña niña
Que se te conceda vestirte
con lino fino, brillante y puro,
para la fiesta de bodas del Cordero.
(Apocalipsis 19:7-8)

# ¿QUÉ ES LA TEOLOGÍA BÍBLICA?

*UNA GUÍA PARA LA HISTORIA, EL SIMBOLISMO Y LOS PATRONES DE LA BIBLIA*

## JAMES M. HAMILTON JR.

MONTE ALTO
EDITORIAL

# Tabla de Contenido

# 1

# UN MUNDO MEJOR SE ABRE PASO

Sentado incómodamente en su silla, esforzándose por respirar, inclinó la cabeza hacia su esposa, asintió con la cabeza en dirección a mis tres hijos y dijo: "Es bueno para ellos estar aquí".

Mirándome continuó, jadeando las palabras, "Queríamos esconder cosas como esta. Pero es bueno para estos chicos verme morir. La muerte es real".

Más tarde esa noche, su esposa de más de cincuenta años se convirtió en viuda. Sabiendo que la vida salía de su cuerpo, vio a través de nuestra cultura medicada, higienizada y hedonista. Ya no podía ignorar la muerte, y estaba convencido de que los demás tampoco debían hacerlo. No había forma de evitarla, así que la miró a la cara y afirmó la bondad de la verdadera historia del mundo. Su acercamiento a la muerte era como un fuerte viento que lanzaba fuera una niebla de falsedad. Una mejor comprensión del mundo se abrió paso, como lo había hecho desde que él nació de nuevo. Lo que pensamos y cómo vivimos está determinado en gran medida por la historia más amplia en la que interpretamos nuestras vidas. ¿Tu historia te permite mirar a la muerte a la cara? ¿Tu historia te da una esperanza que va más allá de la tumba?

En la agonía de la muerte esa noche, mi hermano mayor en Cristo rechazaba las falsas historias del mundo. Se negó a vivir sus últimos momentos informado por historias que harían que la gente fingiera que la muerte no es real o temiera lo que hay más allá.

No lo habría expresado con estas palabras, pero afirmaba que es bueno que los niños vean que la historia de la Biblia es real. A eso se refería cuando dijo que era bueno para mis hijos (de seis, tres y uno en ese momento) estar ahí mientras su cuerpo luchaba en sus momentos de fracaso.

¿Tendrá que estar cerca de su propia muerte para que rechace las historias falsas en favor de la realidad?

El mundo tiene una historia real. La Biblia la cuenta. Este libro es sobre la gran historia de la Biblia, y es sobre cómo nos convertimos en personas que viven en esa historia. Hacer teología bíblica es pensar en toda la historia de la Biblia. Queremos entender el desarrollo orgánico de la enseñanza de la Biblia para que interpretemos partes particulares de la historia a la luz del todo. Como una bellota crece en un roble, así también, Génesis 3:15 se convierte en la buena noticia de Jesucristo.

Uno de los principales objetivos de la teología bíblica es entender y adoptar la visión del mundo de los autores bíblicos. Para ello, tenemos que conocer la historia que dan por sentado, las conexiones que ven entre los eventos de esa historia, y las formas en que leen las partes posteriores de la historia por la luz que emana de sus partes anteriores.

La Biblia tiene un arco narrativo que comienza en la creación, se eleva sobre todo lo que ha sido y será, y aterriza al final de todas las cosas. Las partes proféticas y poéticas de la Biblia proporcionan un comentario interpretativo de la historia, y apocalipsis revela cómo son y serán las cosas.

La gran historia de la Biblia, esta narración global, también se construye a partir de historias más pequeñas. Al mismo tiempo, las historias contadas en el Antiguo Testamento trabajan juntas para establecer un misterio resuelto en Cristo. ¿Has notado las pistas y los indicios que construyen el clímax de la revelación?

Pensemos más en lo que es la teología bíblica, y luego pasaremos a la gran historia de la Biblia, los símbolos que resumen e interpretan la historia, y el lugar de la iglesia en ella.

# 2

# ¿QUÉ ES LA TEOLOGÍA BÍBLICA?

¿Qué es la teología bíblica? La frase teología bíblica se utiliza aquí para referirse a la perspectiva interpretativa de los autores bíblicos.

¿Qué es una "perspectiva interpretativa"? Es el marco de supuestos y presuposiciones, asociaciones e identificaciones, verdades y símbolos que se dan por sentados cuando un autor o un orador describe el mundo y los acontecimientos que tienen lugar en él.

¿Qué utilizan los autores bíblicos para interpretar esta perspectiva? En primer lugar, los autores bíblicos han interpretado las Escrituras anteriores, o en el caso del primer autor registrado (Moisés), los relatos de las palabras y hechos de Dios que le fueron transmitidos.

En segundo lugar, interpretaron la historia del mundo desde la creación hasta la consumación.

Y tercero, interpretaron los eventos y declaraciones que describen. Moisés no contó todo lo que Balaam dijo e hizo en las instancias presentadas en  Números 22-24. Moisés seleccionó lo que quería, lo arregló con cuidado y presentó la verdadera historia. La presentación de los oráculos de Balaam que Moisés nos da en el libro de Números ya es una interpretación de ellos mismos, y porque creo que Moisés fue inspirado por el Espíritu Santo, sostengo que su inter-

17

pretación hace que su relato de los oráculos de Balaam sea más verdadero, no menos. Más cierto porque la forma en que Moisés seleccionó, arregló y presentó (es decir, interpretó) permite a su audiencia ver más claramente cómo lo que Balaam dijo e hizo encaja en la verdadera historia del mundo que Moisés cuenta en el Pentateuco.

Para resumir, con la frase teología bíblica me refiero a la perspectiva interpretativa reflejada en la forma en que los autores bíblicos han presentado su comprensión de las Escrituras anteriores, la historia de la redención y los eventos que están describiendo, relatando, celebrando o abordando en narraciones, poemas, proverbios, cartas y el apocalipsis.

La frase anterior menciona varios tipos de literatura. La Biblia es un libro, y los hombres que escribieron los sesenta y seis libros que componen la Biblia eran autores comprometidos. Eso significa que tenemos que pensar en la literatura al tiempo que pensamos en la interpretación de la Biblia. Una guía corta como esta no puede agotar estos temas, pero puede señalar el camino y ofrecer algunas ideas sobre cómo seguir en él. Nuestra lucha no es contra carne y sangre. El estudio de la teología bíblica es como una búsqueda para convertirse en alguien que pueda derribar fortalezas con armas poderosas para Dios. Para que la búsqueda tenga éxito debemos aprender a destruir los argumentos y opiniones excelsas que se levantan contra el conocimiento de Dios, llevando cada pensamiento cautivo a la obediencia de Cristo (2 Cor. 10:3-5). Bienvenidos a este punto de entrada en el camino para convertirse en un teólogo bíblico. Con la ayuda del Señor, la búsqueda te llevará a otro mundo, el mundo del pensamiento de la teología bíblica.

Para empezar, permítanme decir lo que la teología bíblica no es, en mi opinión, de todos modos. Algunos usan la frase teología bíblica para referirse a algo distinto a lo que he insinuado anteriormente. Aunque estamos usando la misma frase, estamos llegando al tema de manera muy diferente. Por teología bíblica no quiero decir "mi teología es más bíblica que la tuya". Tampoco me refiero a ese palo que algunos biblicistas tienen en la mano para golpear al desprevenido teólogo sistemático que pasa por ahí (una vez escuché a un biblista declarar: "La teología sistemática es mala; la teología bíblica es buena").

Después de la Ilustración, ciertas formas de pensar sobre el mundo pasaron de moda en la academia. En particular, la de la Biblia. Los herejes que se presentaban como valientes librepensadores desecharon ideas que habían prevalecido entre los estudiantes de la Biblia como las ideas bíblicas sobre la soberanía de Dios, la inspiración de las Escrituras, y la coherencia y unidad del mensaje de la Biblia.

La historia que cuenta la Biblia fue rechazada, y se puso una alternativa en su lugar. La evidencia de esta narrativa alternativa existe en la imaginación "erudita". Esta narrativa alternativa tiene su propia línea de tiempo, sus propios autores y su propio relato de lo que realmente ocurrió: el desarrollo evolutivo, las ideologías en competencia, la hipótesis documental, y así sucesivamente. En esta lectura, lo que dicen los textos bíblicos y la historia que cuenta la Biblia es una simple propaganda.

Hemos visto un mundo de respuestas a la influencia de la (así llamada) Ilustración en la interpretación bíblica. Se podría decir que las respuestas han ido de polo a polo.

En el Polo Sur la respuesta liberal a la Ilustración fue desarrollar la disciplina académica de la teología bíblica como una forma de separar el trigo de la paja. Los académicos liberales trataron de discernir qué partes de la teología de la Biblia seguían siendo relevantes y cuáles ya no lo eran. Alguien que hace teología bíblica de esta manera hoy en día podría emplear el método para argumentar que la Biblia apoya el matrimonio entre personas del mismo sexo y denunciar el uso de combustibles fósiles. Si el texto en su conjunto no es autoritario, fácilmente se ajusta a nuestra agenda.

Desde el Polo Norte, la respuesta conservadora a la Ilustración en muchos puntos buscó usar la teología bíblica para reafirmar la unidad de la Biblia. En un esfuerzo por estable-

19

cer un terreno común y persuadir a los escépticos, los conservadores (al menos por el bien del argumento) aceptaron las ideas presentadas. Intentaban demostrar la coherencia de la Biblia a aquellos que pensaban que su unidad se había roto, por lo que recurrieron a métodos y suposiciones desarrolladas y aprobadas por el gremio de los incrédulos. Estos métodos y suposiciones naturalmente ponían límites a lo que la Biblia podía decir.

Hay por supuesto un vasto terreno entre estos dos polos, mucho espacio para una variedad de programas "teológicos bíblicos". Puede que tengas un erudito formado en el Polo Sur (en un ambiente liberal) que critique los excesos de la "Antártida" (la izquierda) desde una perspectiva teológica bíblica. Los conservadores se emocionan mucho con estos tipos. O puede ser que un erudito entrenado en el Polo Norte niegue la existencia del verdadero norte. Estos eruditos se encuentran entre los favoritos de los editores post-evangélicos.

Lo que hay que tener en cuenta sobre estos polos es que están en el mismo planeta. Es decir, los teólogos bíblicos que hacen su trabajo de esta manera, ya sea que empiecen desde el Polo Norte o el Sur, viven todos en el mismo mundo, respirando el mismo aire, compartiendo las mismas suposiciones. ¿Pero qué pasa si la teología bíblica es un puente que va a otro lugar? ¿Y si es una forma de salir de un mundo hacia otro?

Este libro no intenta ser una brújula que puedas usar para ir al norte o al sur. Está tratando de ayudarte a encontrar el tesoro escondido en la caneca de basura. La forma de pensar modelada y enseñada por los autores de la Biblia fue desechada, pero cuando sacamos estas ideas de la basura, encontramos que valen más que el cuadro del millón de dólares "Tres Personajes" que Elizabeth Gibson encontró en la basura en la calle en la ciudad de Nueva York.

Nuestro objetivo es trazar los contornos de la red de supuestos reflejados en los escritos de los autores bíblicos. Si podemos ver lo que los autores bíblicos asumieron acerca de la historia, los símbolos y la iglesia, veremos el mundo tal como ellos lo vieron. Ver el mundo como lo vieron es ver el mundo real.

Me apresuro a añadir que el Espíritu Santo inspiró a los autores bíblicos. Eso les dio un nivel de certeza sobre sus conclusiones interpretativas que no podemos tener sobre las nuestras porque el Espíritu Santo no nos inspira y garantiza nuestra inerrancia. Si lo hiciera, nuestros libros se añadirían al canon de las Escrituras, lo que no está sucediendo. Aun así, estamos llamados a seguir a los apóstoles como ellos siguieron a Cristo (cf. 1 Cor. 11:1), y parte de hacer eso significa aprender a interpretar la Escritura, la historia de la redención y los eventos que nos suceden de la manera en que lo hicieron los autores bíblicos, aún si la certeza absoluta se nos escapa.

Lo que sugiero es que la Biblia enseñe a los cristianos cómo debe ser leída. Estudiar la teología bíblica es la mejor manera de aprender de la Biblia, de cómo la Biblia debe ser leída por un cristiano. Del mismo modo, estudiar la Biblia es la mejor manera de aprender teología bíblica.

¿Cómo debería un seguidor de Jesús leer la Biblia? De la forma en que lo hizo Jesús. Jesús de Nazaret no escribió ninguno de los libros de la Biblia, pero enseñó a los escritores del Nuevo Testamento a interpretar las Escrituras anteriores, la historia de la redención y los eventos que estaban narrando y abordando. A nivel humano, Jesús aprendió la perspectiva interpretativa que enseñó a sus discípulos de Moisés y los Profetas.

Así que estoy argumentando que los autores bíblicos operaron desde una perspectiva interpretativa compartida. Habitaban el mismo mundo de pensamiento, respiraban su aire y compartían sus supuestos. El mundo en el que vivían no era el de Darwin. En su mundo podríamos encontrar cosas para las que no tenemos analogía y de las que no tenemos experiencia. No hay analogía para el Dios de la Biblia. Él es único. Sólo lo experimentamos si se revela. En la Biblia Él ha hecho precisamente eso. ¿Cómo llegamos a conocerlo? Por su revelación de sí mismo, por aprender a leer la Biblia desde la propia Biblia. Aprender a leer la Biblia es aprender a entender este mundo desde la perspectiva de los autores bíblicos, qué es aprender una perspectiva inspirada por Dios.

Moisés aprendió y desarrolló la capacidad de ver el mundo de esta manera a partir de los relatos de las palabras y hechos de Dios que recibió, de su contemplación de lo que Dios había hecho en su propia vida, y de la inspiración del Espíritu de Dios. Los autores bíblicos que siguieron a Moisés en el Antiguo Testamento, ya fueran historiadores, profetas, salmistas o sabios, aprendieron la perspectiva interpretativa que Moisés modeló para ellos y la confirmaron con otras Escrituras disponibles para ellos. Jesús entonces aprendió a leer la Biblia, la historia y la vida de Moisés y los Profetas, y enseñó esta perspectiva a sus seguidores (Lucas 24). Lo que encontramos en el Nuevo Testamento, entonces, es la interpretación bíblica enseñada por Cristo e inspirada por el Espíritu.

Los autores bíblicos modelan una perspectiva para interpretar la Biblia, la historia y los eventos actuales. ¿Deberíamos adoptar esa perspectiva hoy? Por supuesto. ¿Por qué? Estoy convencido de que los autores bíblicos fueron inspirados por el Espíritu Santo, que Dios los guió a la verdad por su Espíritu, y que, por lo tanto, lo hicieron bien.

Estoy seguro de que los apóstoles lo hicieron bien y que aquellos que siguieron a Jesús (¡los cristianos!) deberían seguir a los apóstoles como ellos siguieron a Jesús (cf. 1 Cor. 11:1). También estoy seguro de que si intentamos seguir a Jesús siguiendo a los apóstoles, cometeremos errores. La historia de la interpretación está llena de errores. Vemos a través de un cristal oscuro (1 Cor. 13:12). Pero, de nuevo, el hecho de que el Espíritu no asegure la inerrancia de nuestras conclusiones no significa que debamos adoptar una perspectiva no bíblica o a-bíblica cuando leemos la Biblia, pensamos en la historia de la redención o tratamos de entender nuestras propias vidas. Significa que debemos sostener nuestras conclusiones con humildad, luchar contra ese enemigo, y permitir que la Biblia nos corrija.

En este punto espero que quieran más, más de la Biblia, principalmente, pero también más información sobre cómo entender y abrazar la red de supuestos modelados por los autores bíblicos. Como se mencionó anteriormente, un libro corto como este es un poco como estar parado junto a ese camino que lleva al puente que te dirige a un mundo diferente. El Jabberwock y el frumoso Bandersnatch merodean por el camino, y puedes arriesgarte a partir de este punto. Escribo este libro porque estoy convencido de que el mundo al que conduce este camino vale la pena arriesgarse para alcanzarlo.

Hay descripciones más detalladas de este camino, incluso visitas guiadas de él, pero para aquellos con una oportunidad y un espíritu aventurero, esto es lo que este libro tiene para usted. El resto se divide en tres partes: la primera expone la gran historia de la Biblia, la segunda mira la forma en que los autores bíblicos usan símbolos para resumir e interpretar esa historia, y la tercera considera la parte que la iglesia juega en esa historia.

Así que las tres partes de este libro pueden ser puestas en tres palabras: historia, símbolo e iglesia. Obviamente se podría decir más sobre la teología bíblica, pero estas son las tres cosas sobre el camino al puente que nos lleva al otro mundo en las que nos centraremos aquí: la metanarrativa general que es la gran historia de la Biblia, la forma en que los autores bíblicos utilizan símbolos claves para resumir e interpretar esa historia, y el lugar de la iglesia en ella.

Si la teología bíblica es una forma de entrar en otro mundo, el mundo habitado por los autores bíblicos, tienes derecho a entender mis intenciones. Mi esperanza es que cruces el puente hacia su mundo de pensamiento y no vuelvas nunca más. Espero que respire el aire del mundo de la Biblia, lo reconozca como el verdadero Narnia y no quiera irse nunca.

Si esto sucede, habrás llegado a habitar la historia de la Biblia. Mi oración es que sus símbolos y patrones den forma a la manera en que usted ve el mundo, y que su comprensión del lugar de la iglesia en la historia y el símbolo le haga conocer las riquezas de la herencia de Dios en los santos (Ef. 1:18), el gran poder " Que operó en Cristo resucitándole de los muertos" (1:20), y la gloria que despliega en la iglesia y en Cristo Jesús para siempre (Ef. 3:21).

En resumen, espero que adopten la perspectiva de los autores bíblicos y que lean el mundo desde la perspectiva de la Biblia, en lugar de leer la Biblia desde la del mundo.

# Parte 1
# *LA GRAN HISTORIA*
# *DE LA BIBLIA*

# 3

# LA NARRATIVA

¿De qué está hecha una narración? Las narraciones tienen un escenario, caracterización y trama. Las tramas se construyen a partir de episodios y conflictos, y si tienen éxito comunican los temas.

## EL ESCENARIO

La Biblia está ambientada en el mundo tal como lo conocemos. La mayor parte de su historia ocurre en los tres cuerpos de tierra alrededor del Mar Mediterráneo, pero la historia es sobre el mundo entero. La Biblia presenta una interpretación de su propio escenario que llega al significado y propósito de este mundo que Dios creó.

Shakespeare mostró su genio en un teatro llamado el Globo. El lugar fue nombrado apropiadamente, ya que Shakespeare sostuvo el espejo ante la naturaleza y representó el mundo tal como es. El mundo real donde Dios muestra su genio es el arquetipo del teatro donde Shakespeare mostró el suyo. Dios construyó este escenario para mostrar su arte. El mundo es un teatro para mostrar la gloria de Dios.

Dios construyó el conjunto (creó el mundo) para que hubiera un lugar donde se le conociera, sirviera, adorara y estuviera presente. Los lugares donde los dioses son conocidos, servidos, adorados y presentes se llaman templos. Dios construyó la tierra como su templo, y en ella puso su imagen y semejanza. El reino que Dios ha creado es un templo cósmico; la imagen que Dios puso en el templo para representarse a sí mismo es la humanidad. Todo lo que Dios hizo fue bueno, pero los personajes del drama se rebelaron contra Dios y profanaron su templo. En respuesta al pecado de Adán, Dios sometió a la creación a la esclavitud, ofreciendo la esperanza de que habría una restauración.

No te pierdas las conexiones entre el escenario y los personajes. Dios hizo y es dueño del escenario. Es suyo. Es para él. Se trata de él.

El escenario mundial de la historia de la Biblia se presenta como el templo cósmico de Dios. El tabernáculo y más tarde el templo que Dios le dio a Israel eran versiones a pequeña escala del cosmos, el microcosmos (Salmo 78:69). Esta comprensión del escenario de la historia tiene implicaciones para los personajes de la historia: que el mundo sea un templo cósmico significa que es un lugar en el que Dios es conocido, servido, está presente y es adorado. Los personajes humanos del templo son la verdadera cosa imitada por los idólatras que construyen templos a los falsos dioses, y luego ponen "imágenes" de madera o piedra de esos dioses en esos templos. En la historia real, la imagen de Dios en el templo de Dios está representado por un ser humano, que respira y adora. Luego están los enemigos: la serpiente y su semilla están tratando de usurpar a Dios, pero todo lo que logran es la profanación (temporal) del templo de Dios.

Así como el escenario de la historia está relacionado con los personajes de la misma, también el escenario es clave para la trama. La trama comienza con la construcción del templo cósmico, que es profanado por el pecado. Sin embargo, una vez que se contamina, Dios hace declaraciones que anuncian la restauración. Eventualmente, Dios le da a la nación de Israel una versión a pequeña escala del escenario, un microcosmos, cuando les da primero el tabernáculo y luego el templo. Los juicios dados en el microcosmos (cuando el tabernáculo y el templo son destruidos) apuntan hacia el juicio que Dios traerá sobre el macrocosmos (el mundo), y entonces Dios traerá un nuevo y mejor templo cósmico, un nuevo cielo y una nueva tierra. En esta restauración, Dios hará que las cosas sean mejores de lo que eran al principio.

## PERSONAJES

No te ofendas, pero no eres el personaje principal de la gran historia del mundo. Una de las mejores cosas que nos pueden pasar, es descubrir nuestro papel en la verdadera historia del mundo.

El Dios trino es el protagonista de este drama cósmico, con Satanás como el antagonista (infinitamente inferior), y otros seres celestiales involucrados en la historia. Dios y Satanás están en conflicto, cada uno buscando la lealtad de los humanos hechos a imagen de Dios. Protagonista y antagonista se disputan el dominio del mundo que Dios hizo. No hace falta ser un genio para predecir la victoria del Creador, pero sí se necesita el poder del Espíritu para estar de su lado.

Los humanos, o son la semilla de la mujer o la semilla de la serpiente. La palabra hebrea que se traduce como "semilla" o "descendencia" o (menos apropiadamente) "descendientes", en español puede referirse a una "semilla" o a un puñado de "semilla". Hay manifestaciones individuales (Gálatas 3:16; Apocalipsis 12:5) y colectivas (Romanos 16:20; Apocalipsis 12:17) de la semilla de la mujer y de la semilla de la serpiente en la Biblia. Hay tipos buenos y tipos malos.

Aquellos que invocan el nombre del Señor (Gen. 4:26; Rom. 10:13) son "nacidos de Dios" y "la simiente de Dios permanece" en ellos (1 Juan 3:9). Han sido vivificados por el Espíritu Santo (Juan 3:5-8; Ef. 2:5). Son la simiente colectiva de la mujer contra la que ese antiguo dragón, que es el Diablo y Satanás, se enfurece (Ap. 12:17). Confían en la simiente singular de la mujer, que los salvó aplastando la cabeza de la serpiente (Gen. 3:15; Juan 12:31). Los tipos con sombreros negros, rebeldes que se reúnen contra el Señor y su ungido (Sal. 2:1-3), son la semilla de la serpiente (Juan 8:44). La simiente de la serpiente no son serpientes literales, sino personas que hablan y actúan como el dragón (cf. Rom. 16:17-20; Apoc. 13:11). Al igual que su padre el diablo, deshonran a aquellos a quienes Dios ha bendecido, y por eso Dios los maldice (Gen. 3:14-15; 4:11; 9:25; 12:3).

Dios maldijo a la serpiente y a su descendencia: a la serpiente le dijo: "Maldita serás" (Gén. 3:14), y luego le dijo las mismas palabras a Caín después de que Caín matara a Abel (Gén. 4:11). Luego Canaán fue maldecido después del pecado de Cam contra Noé (Gén. 9:25), y Dios le dijo a Abraham que maldecirá a los que lo maldigan (Gén. 12:3). Aquellos que matan como Caín, se exaltan como Lamec (Gen. 4:23), se burlan como Cam, y se oponen a los propósitos de Dios luchando contra Abraham y su descendencia, son, en las palabras figurativas de Jesús, de su padre el Diablo (Juan 8:44). Son semilla de la serpiente, o en palabras de Juan el Bautista, una "generación de víboras" (Mateo 3:7).

Por el contrario, una línea de descendencia se traza cuidadosamente a través del Antiguo Testamento que comienza desde Adán, continúa a través de Noé a Abraham, Isaac y Jacob, continúa a través de David hasta Jesús el Mesías. Las genealogías de la Biblia preservan cuidadosamente esta línea de descendencia desde Adán hasta Jesús. Jesús es la semilla singular de la mujer. Aquellos que abrazan las promesas de Dios y se alinean con los propósitos de Dios, se identifican con el Prometido por la fe. Ellos son la semilla colectiva de la mujer.

Cuando Dios hizo el escenario, el templo cósmico, le dio el dominio sobre él al hombre y a la mujer (Gen. 1:28). Cuando pecaron, Satanás tomó el control como "el príncipe de la potestad del aire", y con él están los "hijos de desobediencia", los "hijos de ira" (Ef. 2:2-3). Sin embargo, Dios ha prometido que el hijo de David gobernará (Sal. 110). Recibirá el dominio sobre el templo cósmico restaurado de Dios (Ap. 11, 15-19).

¿Qué papel juegas en este drama? ¿Has aceptado el papel que fue creado para representar, o estás tratando de ser Dios?

32

¿Estás con Dios, quién triunfará, o con Satanás, quien se ve bien por el momento?

## TRAMA

En términos más amplios, la trama de la Biblia se puede resumir en cuatro palabras: creación, caída, redención y restauración. Esta no es la historia de Satanás. Él ha introducido el conflicto de la trama que será resuelto. Será derrotado. No te pongas de su lado, no ayudes a sus causas y no envidies a los que se ponen de su lado.

Dios creó un templo cósmico. La buena creación de Dios fue profanada por el pecado que resultó de la tentación de la serpiente, que resultó ser el archienemigo que buscaba usurpar el trono de Dios.

Dios respondió al orgullo de Satanás con la humildad de Jesús. Dios respondió a la rebelión de Satanás con la obediencia de Jesús. Toda la miseria y la rabia de Satanás es abrumada por la gracia y el amor de Jesús, quien por el gozo puesto delante de él, soportó la cruz (Hebreos 12:2). Esa cruz es el gran giro de la trama: el tan esperado héroe llegó, y no sólo fue rechazado sino asesinado, puesto en la tumba. Entonces la esperanza se levantó de entre los muertos. La muerte de Cristo no fue su derrota sino su conquista. Dios juzgó el pecado, lo condenó, y Cristo murió en la cruz para pagar la pena por él. A través del juicio que cayó sobre Jesús, Dios salva a todos los que confían en él. Las exigencias de la justicia son satisfechas por la muerte del Hijo, y el Padre muestra misericordia a los que se arrepienten y creen. Jesús murió para dar vida en abundancia (Juan 10:10), para completar el gozo (Juan 15:11).

Uno de los grandes logros de Dios, como autor de todo, es que él hizo que esto sucediera. Dios orquestó los eventos que lograron la salvación. Envió al Redentor, que no fue bienvenido sino rechazado, no aclamado sino asesinado, y así Dios aseguró la resolución de la trama.

Uno de los grandes logros de los autores bíblicos es que son capaces de contar esta historia con tal habilidad que nunca retrocedemos ante la Biblia, sacudimos nuestras cabezas y dejamos la historia de lado por increíble. Los autores cuentan la historia tan bien que no sólo creemos que los judíos rechazaron y mataron a su propio Mesías, sino que también entendemos cómo ocurrieron los hechos. Suena a verdad.

La trama culminará con el regreso de Jesús para juzgar a sus enemigos y salvar a su pueblo. La gente que Jesús salve conocerá, servirá y adorará a Dios, viendo su rostro en un nuevo templo cósmico, un nuevo cielo y una nueva tierra. La trama se resolverá. Los personajes se transformarán en la imagen de Cristo. Y el mundo, el escenario, será hecho nuevo.

¿No es un alivio que la trama del mundo no se limite al breve lapso de nuestras vidas? Le damos sentido a nuestros días a la luz de esta narrativa global. La gran trama de la Biblia, con la seguridad de la resurrección y la nueva creación, da confianza incluso frente a la muerte. La gran historia de la Biblia abre las ventanas de las habitaciones mal ventiladas y abarrotadas de plazos y fechas de vencimiento, muertes y decepciones, y los vientos frescos de la brisa de la creación a la nueva creación, soplan a través de ellas.

Ahora que hemos repasado la trama, volvemos a dar una mirada al gran conflicto que la impulsa y a algunos de sus episodios clave, y en ellos vemos su tema principal.

# 4

# TRAMA: CONFLICTO, EPISODIOS Y TEMA

## CONFLICTO

El príncipe del poder del aire, esa antigua serpiente que es el Diablo y Satanás, ha emprendido una campaña cósmica para desbancar al Señor del universo, para quitarle a Dios Padre lo que por derecho le pertenece. Satanás y su descendencia están en guerra con Dios y sus hijos (Ef. 6:12; 1 Juan 3:9-15).

En el misterio de su sabiduría, Dios elige como suyas a las personas más débiles e insignificantes. No quiere que los humanos se jacten (1 Cor. 1:29), y quiere que confiemos en él, no en nosotros mismos (2 Cor. 1:9). Cuando Dios se propone hacer una gran nación de los descendientes de un hombre, comienza con un hombre cuya esposa es estéril. Cuando quiere elegir un rey, elige a un joven cuyo propio padre no pensaba que podría ser rey, y así cuando el profeta viene a ungir a uno de sus hijos, Isaí no convoca a David hasta que Samuel haya pasado por encima de los hermanos mayores de David (1 Sam. 16:10-11). Cuando Dios quiere salvar al mundo, envía a su Hijo para que se convierta en un bebé, nacido de una campesina en circunstancias dudosas, y lo envía no a una gran capital mundial sino a un pequeño pueblo de Galilea. Es casi como si Dios repetidamente le diera ventaja al oponente que nunca lo superará.

Satanás siempre parece tener la ventaja. La semilla de la serpiente siempre es impresionante para los estándares mundanos, y no se retractan de las tácticas draconianas: Caín mata a Abel; los malvados israelitas rechazan a Moisés; Saúl persigue a David; los líderes judíos crucifican a Jesús; y el mundo ha tratado a los cristianos de la manera como trato a Jesús.

Pero Dios resucita a los muertos, y si para el hombre algo es imposible, para Dios todo es posible. Así que ante lo que parece ser el triunfo de los malvados, toda la debilidad y la locura del amor y la humildad y la alegría y la esperanza muestran el poder y la sabiduría del Dios verdadero y vivo, contra el que ningún enemigo puede prevalecer.

Esto sucede una y otra vez, como se puede ver cuando miramos los episodios de la trama.

**EPISODIOS DE LA TRAMA**

Una trama se compone de eventos o episodios. Aquí quiero llamar la atención sobre cinco episodios de la trama de la Biblia: el exilio del Edén, el éxodo de Egipto, el exilio de la tierra, la muerte de Jesús en la cruz y la promesa de su regreso en la gloria.

Exilio del Edén. Adán y su esposa estaban en ese lugar perfecto con una única prohibición. La transgredieron. Trataron de cubrirse. Escucharon pasos. Entraron en pánico. Se escondieron. Dios había hecho ese lugar. Ellos eran responsables ante él. Violaron su ley. Él había prometido la muerte por eso. Tomaron hojas de higuera. No había ningún lugar a donde ir. Los llamó y en palabras de juicio, manifestó la esperanza.

Éxodo de Egipto. Dios envió diez plagas. El primogénito murió. La sangre del cordero marcó los postes del dintel. El pan sin levadura fue comido apresuradamente.

Como en el diluvio, las aguas se cerraron sobre los rebeldes. Como Noé se salvó a través de esas aguas, Israel pasó por el Mar Rojo en tierra firme.

Los autores bíblicos posteriores tratan los eventos del éxodo como un paradigma de la salvación de Dios. Los detalles son dignos de mención:

Moisés flotaba en un arca cubierta de alquitrán y brea en las aguas donde otros morían (sombras de Noé). Dios humilló al fuerte y orgulloso faraón por medio de las diez plagas y la muerte del primogénito. Dios identificó a la nación de Israel como su hijo primogénito. La muerte del cordero pascual redimió al primogénito de Israel. El pueblo huyó al desierto después de haber despojado a los egipcios y fue bautizado en la nube y en el mar (1 Cor. 10:2).

En el desierto Dios sostuvo a su pueblo con el maná del cielo y el agua de la roca, alimento y bebida espiritual que alimentaba la esperanza del Redentor prometido (1 Cor. 10:3-4). Dios entró en un pacto con Israel en el Monte Sinaí y dio instrucciones para la construcción del tabernáculo, símbolo del universo. Dios entonces llenó el microcosmos - la versión a pequeña escala del cosmos - con su gloria, mostrando a Israel su propósito para todas las cosas. Israel viajó hacia la Tierra de la Promesa, que estaba en manos de gigantes, a los que el pequeño ejército con tecnología inferior derrocó mediante débiles y tontas estrategias de batalla (marchar alrededor de la ciudad durante siete días y las murallas se derrumbarían).

Exilio de la tierra. Una vez en la Tierra Prometida, Israel hizo exactamente lo que Moisés profetizó que haría (Deut. 4:26-31). La nación de Israel era como un nuevo Adán en un nuevo Edén. Como Adán, ellos transgredieron. Como Adán fueron expulsados. Como Adán, se fueron con palabras de esperanza habladas por los profetas. La idolatría y la inmoralidad les hizo escuchar los pasos, el sonido de Yahweh viniendo al fresco del día, pero esta vez los pasos eran de botas de soldados. Los profetas les dijeron que el juicio de Dios sería como un nuevo diluvio: se acumularían nubes de tormenta, los cielos se oscurecerían y las aguas se desbordarían. No era agua literal, sino un ejército (Isaías 8:7-8). El ejército extranjero dejó las ciudades desoladas, la tierra desierta y el templo en ruinas. El exilio de la tierra fue como una de-creación. El templo, símbolo del mundo, fue derribado. El sol oscureció, la luna sangró, las montañas se derritieron.

Cuando Dios llamó a Adán y Eva para que rindieran cuentas de su pecado, llegaron palabras de esperanza en el juicio que Dios pronunció sobre la serpiente. Cuando Dios llamó a Israel para que rindiera cuentas de su pecado, las palabras de esperanza vinieron en el juicio que Dios habló a través de los profetas. Anunciando que Dios expulsaría a Israel de la tierra, los profetas también declararon que Dios volvería a salvar a Israel como lo había hecho en el éxodo - un nuevo éxodo (Isa. 11:11-16); que Dios les levantaría un nuevo David (Os. 3:5); que Israel entraría en un nuevo pacto con Yahvé (Jer. 31:31; Os. 2:14-20); que como el Espíritu fue dado a Moisés y a los setenta ancianos, sería derramado sobre toda carne - una nueva experiencia del Espíritu (Joel 2:28-32); que habría una nueva conquista de la tierra (Os. 2:15), que a su vez se convertiría en un nuevo Edén (Isa. 51:3; Eze. 36:35). De todo esto vemos una verdad clave digna de ser puesta en cursiva: Los profetas de Israel usaron el paradigma del pasado de Israel para predecir el futuro de Israel.

La cruz. En su enseñanza antes de la cruz, y cuando abrió sus mentes después de ella (Lucas 24), Jesús enseñó a sus discípulos a entenderlo a través de los eventos paradigmáticos de la caída, el diluvio, el éxodo y el exilio. En otras palabras, los acontecimientos de la historia de Israel funcionan como esquemas o plantillas, y se utilizan para comunicar el significado de quién era Jesús y lo que hizo. Por eso Juan el Bautista preparó el camino para Jesús con las palabras de un texto de "retorno del exilio" (ver el uso que el Bautista hace de las palabras de Isaías 40:3 en Juan 1:23). Por eso Mateo destaca la forma en que Jesús recapitula la historia de Israel: nacido de una virgen, amenazado en su infancia por Herodes, como el niño Moisés fue amenazado por el faraón, llamado a salir de Egipto, tentado en el desierto, aclamado como un cordero, maldecido al exilio en su muerte, resucitado para traer la restauración.

Dios salvó a su pueblo a través del juicio que cayó sobre Jesús, cumpliendo la forma en que los salvó a través del juicio en la caída, el diluvio, el éxodo y el exilio.

Jesús es el nuevo Adán cuya obediencia vence el pecado de Adán (Rom. 5:12-21). Dios identificó a Israel como su hijo, y Jesús vino como el representante de Israel, el Hijo de Dios. Jesús redimió a su pueblo de la maldición de la ley convirtiéndose en una maldición (Gal. 3:13), haciendo posible que los gentiles recibieran la bendición de Abraham en él (Gal. 3:14). Jesús cumplió tipológicamente la muerte sustitutiva del cordero de la Pascua -no se rompió ninguno de sus huesos (Juan 19:36; 1 Cor. 5:7)- cuando murió para iniciar el nuevo éxodo. Los autores del Nuevo Testamento hablan de los cristianos como aquellos que son liberados de la esclavitud, vivificados, moviéndose hacia la Tierra de la Promesa, exiliados regresando a su verdadero hogar, la ciudad que tiene cimientos. Toda la historia de la Biblia gira en torno a la muerte y la resurrección de Jesús para lograr la redención, y culminará con el regreso de Jesús en el juicio para consumar su reino.

El retorno prometido. Daniel 7:13 habla de un Hijo del hombre que viene en las nubes del cielo para recibir el dominio eterno (cf. Génesis 1:28), y en Hechos 1:9-11, Jesús subió al cielo y fue recibido en las nubes, con un ángel que anunciaba que Jesús vendría otra vez como se le vio ir en las nubes del cielo. El Cordero inmolado vendrá como el León gobernante (Apocalipsis 5:5-6). El humilde siervo, será el Rey de reyes. El último será el primero, el menor, grandioso. Los enemigos serán muertos por la espada que sale de su boca, los rebeldes serán arrojados al lago de fuego. El gusano no morirá. Las llamas no se apagarán. Suenan Aleluyas y hosannas, las campanas resuenan, las trompetas proclaman, el reino llega. Cristo es el Señor. Él reinará.

## TEMA

¿Qué tienen en común estos episodios de la trama? En cada uno de ellos Dios muestra su gloria salvando a su pueblo a través del juicio.

La severidad y la bondad de Dios brillan en cada uno de estos episodios: Dios juzgó a Adán y Eva expulsándolos del reino de la vida, el Edén. Adán regresaría al polvo del que fue hecho, pero salió con la promesa de que la semilla de la mujer aplastaría la cabeza de la serpiente. Esta promesa vino en la palabra de juicio hablada a la serpiente. La palabra de salvación, bondad, vino en la palabra de juicio, severidad.

Y así fue en el éxodo: Israel fue redimido con la muerte del cordero pascual y los primogénitos. Así también en el exilio: como Adán dejó el jardín con la promesa, Israel fue exiliado de la tierra con las profecías de una gloriosa restauración del tiempo final sonando en sus oídos. Estas instancias de salvación a través del juicio apuntaban hacia la cruz, donde Jesús fue juzgado para que su pueblo pudiera ser salvado. Cuando regrese, la salvación de su pueblo vendrá a través del juicio de la serpiente y su descendencia.

La Biblia está, por supuesto, llena de temas, y cada uno de ellos brilla con la gloria de Dios. Todos estos temas emanan y regresan a la gloria de Dios. Establecerlos y ejecutarlos es la base de la justicia de Dios sobre la que Él, construye una torre de misericordia para darse a conocer. Si no hubiera justicia, si Dios no cumpliera su palabra castigando a los transgresores, no existiría la misericordia, porque nadie la necesitaría ya que nadie se condenaría. Si Dios no fuera justo, no sería santo, no sería verdadero ni fiel, y no existiría la promesa cumplida ni el pecador justificado por la fe.

Como Dios trae la salvación a través del juicio, la justicia sirve como el paño oscuro en el que Dios mostrará el diamante de la misericordia. La piedra brillante, el paño contrastante, y la luz que brilla en ambos, resulta en un impresionante despliegue de la gloria de Dios. El tema central de la Biblia es la gloria de Dios en la salvación a través del juicio.

Dios va a llenar la tierra con el conocimiento de su gloria mientras salva y juzga. El mundo fue creado con este propósito, como muestran los anticipos en el tabernáculo y el templo. El mismo Dios anunció que llenaría la tierra con su gloria (Num. 14:21). Los serafines proclamaron que la tierra será llena de su gloria (Isaías 6:3). David miró hacia el día en que su descendencia reinaría y la tierra será llena de la gloria de Yahvé (Sal. 72:18-19). Isaías dijo que sucedería (Isa. 11:9), y Habacuc le hizo eco (Hab. 2:14). Los caminos de Dios son inescrutables, no se pueden descubrir, y Él no le debe nada a nadie. No se le puede hacer deudor ni sobornar de ninguna manera. De él, a través de él y para él son todas las cosas. Suya es la gloria para siempre (Rom. 11:33-36).

# 5

# EL MISTERIO

## ¿QUÉ SON ESTAS MONEDAS DE ORO EN EL CAMINO?

A medida que leemos la Biblia, encontramos una moneda de oro tras otra en el camino de las promesas bíblicas. Estas monedas de oro parecen haber sido acuñadas en el mismo lugar, y al examinarlas, notamos dos cosas. Primero, hay una relación definida entre ellas. Las últimas asumen el diseño y la impresión de las primeras. Segundo, a medida que avanzamos en el desarrollo de los diseños de las monedas, encontramos que hay combinaciones curiosas de los primeros y los últimos diseños, así como una especie de historia que puede ser rastreada a través de las imágenes.

No estoy hablando de monedas de oro literales. Hablo de las promesas que Dios hace sobre un Redentor venidero que ordenará las cosas y la forma en que el creciente número de promesas influyó en los autores bíblicos posteriores al elegir qué incluir en sus narraciones. Las primeras promesas hicieron que los autores bíblicos posteriores notaran patrones y similitudes entre los personajes anteriores, con el resultado de que los autores posteriores destacaran patrones y características similares en su propio material.

Cuando vemos a un autor posterior presentar una repetición de un paradigma anterior, que fue informado por una promesa, como lectores comenzamos a sentir que estamos tratando con una secuencia de eventos (un tipo, patrón o esquema) que los autores bíblicos vieron como significativo, incluso si estaban perplejos por ello (cf. 1 Pe 1:10-12).

45

La repetición de estos patrones crea una especie de plantilla que representa el tipo de lo que Dios hace o el tipo de lo que le sucede al pueblo de Dios. Cuando empezamos a pensar en lo que sucede típicamente, estamos tratando con la tipología, y como esto es lo que ha sucedido típicamente en el pasado, empezamos a esperar que este es el tipo de lo que Dios hará en el futuro. Es decir, el tipo es prospectivo, con visión de futuro, ya que apunta más allá de sí mismo a su cumplimiento.

Las promesas parecen haber impulsado a los profetas a notar los patrones, por lo que podríamos pensar en esto como una tipología en forma de promesa. Escuchar las promesas formó una expectativa en las mentes de los profetas, y luego un patrón de eventos fue interpretado a la luz de la expectativa generada por las promesas.

Si esto parece confuso, ¡en algunos puntos lo es!. Los discípulos de Jesús se sorprendieron por lo que hizo, y sin embargo, todo lo que hizo fue prefigurado en el Antiguo Testamento. No podemos mirar todas las monedas de oro en este corto estudio, pero examinemos algunas.

## CREADO POR UN SOLO FABRICANTE

Nuestro objetivo aquí es ver las conexiones entre las promesas clave del Antiguo Testamento que impulsaron a los profetas a reconocer los patrones. Si una promesa es una moneda de oro, entonces la presencia de estas promesas en la Biblia significa que los autores bíblicos las vieron como provenientes de Dios y relacionadas con el plan de Dios. Esto hace que las promesas sean como monedas de oro fabricadas en el mismo lugar.

La primera impresión profética viene en la palabra de juicio que Dios le habló a la serpiente en Génesis 3:15. El hombre y la mujer tenían todo el derecho de esperar que morirían ese día que comieron del fruto del conocimiento del bien y del mal (Gn. 2:17). Pero como Dios maldijo a la serpiente, Adán y su esposa oyeron que habría una enemistad permanente entre la serpiente y la mujer, y entre su semilla y

46

la de ella. Además, mientras que la semilla de la mujer sería herida en el talón, la serpiente recibiría un golpe mucho más grave en la cabeza (Gn. 3:15). La enemistad continua y la referencia a la semilla de la mujer indican que Adán y su esposa no morirían inmediatamente sino que seguirían viviendo, aunque hubieran experimentado la muerte espiritual (Gn. 3:7-8). Cuando Adán nombró a su esposa Eva, porque sería la madre de todos los vivientes (Gn. 3:20), respondió con fe a la palabra de juicio que Dios habló sobre la serpiente. Aparentemente la fe llegó al oír la palabra de la descendencia de la mujer (Gn. 3:15; Ro. 10:17). Adán y Eva creyeron que no experimentarían inmediatamente la muerte física: vivirían en conflicto con la serpiente, y su descendencia le aplastaria la cabeza.

Las respuestas de Eva al nacimiento de Caín (Gn. 4:1) y Set (4:25) indican que ella estaba buscando su semilla que lograría esta victoria sobre el tentador. La línea de descendencia de la mujer se traza cuidadosamente en Génesis 5, y en Génesis 5:29 Lamec expresa la esperanza de que su hijo Noé sea el que traiga el alivio de la maldición enunciada en Génesis 3:17-19. Cuando leemos Génesis 5:29 a la luz de Génesis 3:14-19, parece que los que invocan el nombre del Señor (Gn. 4:26) buscan la semilla de la mujer cuyo golpe en la cabeza de la serpiente (Gn. 3:15) revertirá la maldición en la tierra (Gn. 5:29; cf. 3:17-19).

Otra genealogía en Génesis 11 continúa trazando la descendencia de la semilla de la mujer. Entonces las promesas de Dios a Abraham en Génesis 12:1-3, como un montón de monedas de oro en el camino, responden a las maldiciones de Génesis 3:14-19 punto por punto:

•Respondiendo a la enemistad que Dios puso entre la simiente de la mujer y la serpiente y su simiente (Gn. 3:15), Dios promete bendecir a los que bendicen a Abraham y maldecir a los que lo maldicen (Gn. 12:3).

•Respondiendo a la dificultad que Dios puso en la maternidad y las relaciones conyugales (3:16), Dios promete hacer de Abraham una gran nación (12:2) y bendecir en él, a todas las familias de la tierra (12:3).

•Respondiendo a la maldición de la tierra (3:17-19), la promesa de Dios de que hará de Abraham una gran nación que también implica territorio (12:2), y unos pocos versos más tarde (12:7) Dios promete dar la tierra a Abraham y a su descendencia.

Después de la muerte de Abraham, Dios prometió confirmar a Isaac el juramento que le hizo a Abraham (Gn. 26:3-4), y luego Isaac pasó la bendición de Abraham a su hijo Jacob (28:3-4).

Con estas monedas en la mano, podemos ponerlas una al lado de la otra y ver que además de ser promesas de Dios, ponen en marcha una historia. Las promesas aparentemente causaron que Moisés reconociera un patrón.

Moisés parece haber oído que habría enemistad entre la semilla de la serpiente y la semilla de la mujer. Así que se dio cuenta, y por esa razón registró, la forma en que la semilla de la serpiente perseguía a la semilla de la mujer: Caín mató a Abel; Cam se burló de Noé, como Ismael lo hizo con Isaac; Esaú quería matar a Jacob. Este patrón de persecución probablemente hizo que Moisés se diera cuenta de la forma en que los hermanos de José le respondían, incitando a Moisés a dar un tratamiento más amplio al sufrimiento y la exaltación de José. Sus hermanos querían matarlo, pero lo vendieron como esclavo. En Egipto, José fue exaltado, bendijo al mundo entero proveyendo comida en la hambruna (cf. Gn. 12:3), y luego perdonó a sus hermanos, preservando sus vidas de la maldición en la tierra.

La bendición de Abraham había sido pasada a Isaac, luego a Jacob, y Jacob parece haberla otorgado a los hijos de José (Gn. 48:15-16). Dios le dijo a Abraham que los reyes vendrían de él y de Sara (Gn. 17:6, 16), y podríamos esperar que el rey viniera del linaje que recibe la bendición. Sorprendentemente, sin embargo, cuando Jacob bendijo a sus hijos, habló de Judá en términos reales (Gn. 49:8-12). Esto da lugar a la explicación en 1 Crónicas 5:2 de que aunque la primogenitura y la bendición fueron para José, la "jefatura" vino para Judá.

En Números Moisés reúne varias monedas de oro y las pone una al lado de la otra para nosotros. Como Balaam no maldijo a Israel y en su lugar los bendijo, Moisés presenta diciendo algo en Números 24:9 que combina declaraciones de la bendición de Judá en Génesis 49:9 con declaraciones de la bendición de Abraham en Génesis 12:3. Esto significa que Moisés pensó que Dios iba a cumplir las promesas a Abraham a través de la figura real prometida de Judá. Sólo unos pocos versículos más tarde, en Números 24:17, las imágenes de aplastamiento de la cabeza de Génesis 3:15 se combinan con el lenguaje y las imágenes de la bendición de Judá en Génesis 49:8-12. Números 24:19 habla entonces del "dominio" que Jacob ejercería, mostrando que ejercería el dominio que Dios le dio a Adán en Génesis 1:28. Dios cumpliría las promesas a Abraham a través del Rey de Judá, que es la simiente de la mujer que aplastaría la cabeza de la serpiente y su simiente, y de esta manera Dios cumpliría los propósitos que comenzó a perseguir en la creación.

Un rey del linaje de Judá se levantó en Israel. En el camino a convertirse en rey, este joven, sin haber sido puesto a prueba en la batalla, salió al encuentro del poderoso Goliat, cuya cabeza aplastó con una piedra, y luego la quitó con una espada. Como la descendencia de la mujer que le precedió, David fue entonces perseguido por la descendencia de la serpiente (Saúl), que le persiguió por el desierto de Israel.

No somos los primeros en intentar leer estas promesas a la luz de los patrones. Los autores bíblicos de los Salmos y los Profetas han abierto este camino para nosotros.

## LOS SALMISTAS Y PROFETAS INTERPRETARON ESTAS MONEDAS

Dios le hizo promesas asombrosas a David (2 Samuel 7). Los profetas y salmistas interpretan las promesas a David y los patrones que le precedieron para señalar lo que Dios logrará cuando lleve a cabo estas cosas.

El Salmo 72 parece ser la oración de David para Salomón (cf. la prescripción y el Sl. 72:20). David ora para que los enemigos de su hijo, la semilla de la promesa (2 Samuel 7), laman el polvo como su padre el Diablo (Sl. 72:9; cf. Gn. 3:14). Ora para que los opresores sean aplastados (Sl. 72:4; cf. Gn. 3:15). Ora para que la descendencia de David tenga un gran nombre como el que Dios prometió a Abraham y que, como Dios prometió a Abraham, las naciones sean bendecidas en él (Sl. 72:17; cf. Gn. 12:1-3). Todo esto culmina en la oración de David para que Dios cumpla lo que se propuso en la creación y llene la tierra de su gloria (Sl. 72:19; cf. Nm. 14:21).

Un ejemplo de interpretación profética de estos pasajes, y hay muchos, es Isaías 11. Isaías tiene claramente a la vista las promesas a David de 2 Samuel 7 cuando habla de la "vara del tronco de Isaí" (Is. 11:1). El Espíritu de Jehová estará sobre él en plenitud (11:2), y traerá justicia y paz (11:3-5). Estos acontecimientos se comparan más adelante en el capítulo con el éxodo de Egipto (11:16), y pertenecen a la reunión de Israel después del exilio de la tierra (11:11). Estas realidades hacen que lo que dice Isaías en el versículo 8 sea aún más notable:

Y el niño de pecho jugará sobre la cueva del áspid, y el recién destetado extenderá su mano sobre la caverna de la víbora.

Cuando el Rey de Isaí se levante para llevar a cabo el nuevo éxodo y regresar del exilio, no será sólo un regreso del exilio de la tierra de Israel sino también un regreso del exilio del Edén. Cuando este Rey del linaje de David reine, la enemistad entre la semilla de la mujer y la semilla de la serpiente introducida en Génesis 3:15 se acabará. A eso se refiere Isaías cuando habla de bebés que juegan con serpientes y no temen ningún mal. El mal será abolido. No más maldiciones. Y cuando Dios mantenga la promesa de Génesis 3:15 a través de las promesas hechas a David en 2 Samuel 7, como en el Salmo 72:19, entonces como está escrito en Isaías 11:9:

*Porque la tierra será llena del conocimiento de Jehová,
como las aguas cubren el mar.*

La mayor parte de lo que he dicho sobre las promesas hasta
este punto tiene que ver con la redención. Del mismo modo,
la mayor parte de lo que he dicho sobre los patrones hasta
este punto, tiene que ver con la persecución y el sufrimiento
de los que se aferran a las promesas, aquellos a través de
los cuales las promesas se cumplirán. El misterio está en el
entrelazamiento de estas dos líneas de desarrollo.

## REFRANES Y ACERTIJOS OSCUROS

Así que las promesas se acumulan hasta la conclusión de
que Dios va a derrotar el mal y reabrir el camino al Edén
cuando la semilla de la mujer se levante para recibir la bendición de Abraham, y esta semilla de la mujer vendrá de la
tribu de Judá y descenderá de David. ¿Cómo es esto com-
plicado, enigmático o difícil?

El misterio se desarrolla en torno a dos preguntas principales: Primero, ¿qué es este asunto del sufrimiento del conquistador? Y segundo, ¿cómo exactamente van a ser bendecidos los gentiles? La imagen que parece obtenerse del
Antiguo Testamento es la de la nación de Israel conquis-
tando todas las demás naciones, sometiéndolas a Jehová y
a su buena ley por medio del poderío militar. El ungido del
linaje de David los gobernará con un cetro de hierro (Sl.
2:8-9). Las naciones vendrán en masa a Sión para aprender
la ley de Jehová (Is. 2:1-4; cf. Dt. 4:6-8).

¿Qué hay de misterioso en esto? Por un lado, el plan se rompe con la desobediencia de Israel. Las naciones no pueden
ver la gloria de la ley de Jehová porque Israel ha profanado
a Jehová a sus ojos (cf. Ez. 20:9). En lugar de someter a las
naciones a Israel, Jehová somete a Israel a las naciones y las
naciones expulsan a Israel de la tierra prometida. Entonces
cuando Israel regresa a la tierra, su incredulidad es evidente
al casarse con idólatras no arrepentidos de otras naciones
(Esd. 9:11, 14). ¿Cómo van a ser bendecidas las naciones
en Abraham y en su simiente (Gn. 22:17-18)?

El otro aspecto del misterio está conectado a éste. Como se ha señalado anteriormente, los patrones se reconocieron a la luz de las profecías. Estos patrones que fueron reconocidos tenían que ver con la muerte de Abel y la persecución de Isaac, Jacob, José, Moisés, David y otros. Parece que David reflexionó sobre esta pauta de sufrimiento en los Salmos, especialmente en los que tratan del "justo que sufre", como los Salmos 22 y 69 (hay muchos otros).

Isaías vivió después de David, y parece que la reflexión de David sobre estas cosas influyó en la forma en que Isaías desarrolló la profecía y el modelo en su representación del siervo sufriente. La "vara del tronco de Isaí" de Isaías 11:1 parece ser el "renuevo tierno,...Como raíz de tierra seca" de Isaías 53:2(NBLA). Lo que es notable aquí, y en otras partes de Isaías, es la forma en que se dice que el que reinará en la restauración, también es golpeado, herido y afligido (53:4), soportando penas y dolores (53:4), herido por la transgresión, aplastado por la iniquidad y castigado por la sanidad de su pueblo (53:5). El justo hizo que muchos fueran considerados justos al cargar con sus iniquidades (53:11). Antes de que Jesús viniera a cumplir estas profecías, los profetas del Antiguo Testamento indagaban estos misterios (1 Pe. 1:10-11). La forma en que los discípulos de Jesús reaccionaron al anuncio de que iba a Jerusalén para ser crucificado, muestra que no tenían este aspecto del misterio resuelto.

Las líneas de la promesa y el patrón apuntan a la conquista y el sufrimiento. Basándose en Isaías, el ángel Gabriel informa a Daniel que el Mesías será cortado y no tendrá nada (Dn. 9:26). De manera similar, Zacarías habla de Israel mirando al Señor, "a quien traspasaron", y llorando por él "como se llora por hijo unigénito" (Za. 12:10). Zacarías continúa hablando de parte del Señor llamando a que se despierte la espada contra su pastor, el hombre que está a su lado -el pastor será golpeado y las ovejas dispersadas (13:7). Como dijo Isaías: "La voluntad del Señor fue quebrantarlo" (Is. 53:10).

## PROMESA, PATRÓN, MISTERIO

Tal vez resumir los misterios y destacar los enigmas que representan nos ayude a contemplarlos.

Primero, está claro que se ha prometido un Redentor. Este Redentor derrotará al Maligno y a aquellos alineados con él, y esa derrota hará retroceder las maldiciones y resultará en una nueva experiencia de vida edénica. La tierra será fértil; los pueblos no necesitarán armas porque no necesitarán defenderse o querer atacar a otros; el Rey reinará en justicia, estableciendo la paz; y la gloria de Jehová cubrirá la tierra como las aguas cubren el mar.

En segundo lugar, sin embargo existe particularmente el problema de la desobediencia del pueblo de Israel, y el pecado de la humanidad en general. Este problema tiene como resultado el exilio del hombre del Edén, y luego el exilio de Israel de la tierra. Si Dios va a ser verdadero y justo, estos pecados deben ser castigados. ¿El exilio de la tierra realmente es el pago doble por el pecado del pueblo a Dios, como indica Isaías 40:1? ¿Hay alguna manera de que Dios castigue el pecado y muestre misericordia?

Tercero, ¿qué hay del tema de la persecución y el sufrimiento de la semilla de la mujer? Abel murió a manos de Caín. José fue sacado del pozo y entregado a los gentiles. Moisés fue casi apedreado por Israel. A David se le opuso primero Saúl y luego Absalón. Y luego cuando Dios le hizo promesas a David, mencionó algo sobre la disciplina con los azotes de los hombres (2 Sam. 7:14; el término hebreo para "azotes" se usa en Is. 53:4, 8).

Cuarto, además de las fuertes afirmaciones sobre cómo reinará el Mesías, en la línea de lo que encontramos en los Salmos 2 y 110, también tenemos esta misteriosa charla sobre un siervo sufriente en Isaías 53, un Mesías que será cortado en Daniel 9:26, el Señor mismo siendo traspasado en Zacarías 12:10, y la espada levantada contra el hombre que está a su lado en Zacarías 13:7, que habla de un pastor herido y ovejas dispersas.

Quinto, ¿qué pasa con los gentiles? Dios dijo que todas las familias de la tierra serían bendecidas en la simiente de Abraham (Gn. 12:3; 22:17-18), Isaías dice que los extranjeros serán sacerdotes y levitas (Is. 66:21), pero al final del Antiguo Testamento Esdras y Nehemías se aseguran de que los israelitas no se casen con no israelitas. ¿Cómo va a bendecir Dios a los gentiles de la semilla de Abraham?

Cuando lleguemos al final del Antiguo Testamento, no tendremos respuesta a la pregunta de cómo se resolverán todas estas cosas. ¿Cómo se cumplirá el tema del Mesías conquistador a la luz del patrón de sufrimiento y las profecías de que el Mesías incluso morirá? ¿Qué pasará con este nuevo éxodo y el regreso prometido del exilio?

## ¿SE DESMORONARÁ TODO?

¿La historia se ha salido de control? ¿O hay alguna manera de que las indicaciones recogidas de estas monedas de oro se reúnan en una resolución satisfactoria?

La resolución es traída mediante el mayor giro de la trama en la historia del universo: la conquista del Mesías que parecía una derrota. Satanás parecía haber conquistado. Parecía haber golpeado mucho más que el talón de la semilla de la mujer.

La forma en que los discípulos reaccionaron ante el anuncio de Jesús de que iría a Jerusalén y moriría muestra lo inesperada que fue la estratagema secreta de Dios. Pedro le reprochó a Jesús y le dijo que eso nunca sucedería. Y así fue.

Jesús cumplió el modelo de la semilla de sufrimiento de la mujer. Cuando murió en la cruz cumplió las predicciones de que el Mesías sería cortado, el siervo sufriría, la espada se despertaría contra el hombre que estaba junto al Señor; en efecto, los que lo vieron morir miraron al Señor a quien habían traspasado. Los pecados de Israel fueron doblemente pagados (Is. 40:2) porque la muerte de Jesús proporciona un perdón completo (Heb. 10:1-18). Murió como el siervo sufriente (Isaías 53). Dios llamó a Israel su hijo primogénito (Ex. 4:23), y Jesús representó a Israel como el Hijo de Dios. La muerte de Jesús satisface la ira de Dios, acabando con la maldición contra el Israel que rompe el pacto.

En la transfiguración, Moisés y Elías discutían con Jesús el "éxodo que iba a realizar en Jerusalén" (Parafraseando Lucas 9:31). Jesús murió como el Cordero de Dios en un nuevo éxodo que tipológicamente cumplió el éxodo de Egipto. Jesús cumplió las promesas del Antiguo Testamento de que Dios redimiría a su pueblo de una manera que eclipsaría el éxodo de Egipto (por ejemplo, Jr. 16:14-15; 23:7-8).

La muerte de Jesús puso en marcha el nuevo éxodo, y los seguidores de Jesús son descritos en el Nuevo Testamento como "exiliados" (1 Pe. 1:1) que están siendo integrados en un nuevo templo (1 Pe. 2:4-5) mientras se dirigen hacia la Tierra Prometida (1 Pe. 2:11), los nuevos cielos y la nueva tierra, donde habita la justicia (2 Pe. 3:13). Cuando los autores del Nuevo Testamento hablan de esta manera, están usando la secuencia de eventos que tuvieron lugar en el éxodo de Egipto como un patrón interpretativo para describir el significado de la salvación que Dios ha logrado en Jesús.

¿Y qué hay de los gentiles? Bueno, Pablo llevó el evangelio primero al judío, luego al griego (Ro. 1:16). Cuando los judíos rechazaron el evangelio, Pablo fue a los gentiles (Por ejemplo, He. 13:46). Pablo enseña que cuando el número completo de gentiles haya entrado, Jesús regresará y salvará a su pueblo (Ro. 11:25-27). Todas las familias de la tierra serán bendecidas en la simiente de Abraham, Jesús el Mesías (Ga. 3:14-16).

Pablo enseña en Efesios que este era el plan oculto de Dios para los gentiles: el misterio se ha revelado a Pablo y a los otros apóstoles y profetas (Ef. 3:4-6). Aunque estuvo oculto durante siglos y generaciones, los creyentes ahora conocen toda la historia (Col. 1:26). Conocer a Cristo significa entender el gran misterio de Dios (Col. 2:2-3). Moisés lo profetizó y lo mostró en patrones, que se repitieron en las historias y se proclamaron en los profetas. Jesús lo cumplió todo, y Pablo explica que el misterio de la voluntad de Dios era este plan establecido en Cristo para la plenitud de los tiempos, para que todas las cosas (judíos y gentiles), en el cielo y en la tierra, estuvieran unidas en Cristo (Ef. 1:9-10). Los cristianos gentiles disfrutan de todas las bendiciones dadas a Israel en el Antiguo Testamento (Ef. 1:3-14).

Cuando el evangelio haya sido predicado a todas las naciones (Mt. 24:14), cuando los dos testigos hayan completado su testimonio (Ap. 11:7), cuando todos los mártires hayan sido fieles hasta la muerte (Ap. 6:11), cuando haya entrado todo el número de los gentiles (Ro. 11:25), Jesús vendrá. Los judíos vivos lo verán y creerán, tendrán sus pecados perdonados, y serán llevados al nuevo pacto: "y así todo Israel será salvado" (Ro. 11, 26-27). La trompeta resonará, el Señor descenderá, el reino de este mundo será el reino de nuestro Señor y de su Cristo, y él reinará para siempre (Ap. 11, 15).

## NI SIQUIERA LA MUERTE LO DESTRUYE

Lo que Dios ha logrado en Jesús ha traído la resolución del misterio que quedó sin resolver al final del Antiguo Testamento, y la consumación prometida por la garantía del Espíritu Santo que hará todas las cosas nuevas. El misterio ha sido resuelto, el resultado de la historia ha sido revelado, y ahora vivimos en la fe de que los eventos que se han puesto en marcha harán realidad todas nuestras esperanzas (Ro. 8:18-30). Podemos vivir de estas esperanzas porque no hay nada que pueda convertir el amor de Dios en indiferencia, ni siquiera la muerte (Ro. 8:31-39).

¿Temes a la muerte? ¿Piensas en tu muerte, o en la de alguien que amas, a la luz de la gran historia de la Biblia?

Anteriormente en este libro relaté algo de lo que sucedió la noche del 6 de enero de 2010, la noche en que un amigo mío salió de su cuerpo mortal. Unos días después tuve el privilegio de predicar en su funeral. Ese día nos reunimos para glorificar a Dios por darnos la alegría de haberlo conocido.

El Salmo 90:10 dice:

*Los días de nuestra edad son setenta años;*
*Y si en los más robustos son ochenta años,*
*Con todo, su fortaleza es molestia y trabajo,*
*Porque pronto pasan, y volamos.*

La permanencia de mi amigo fue hasta los 81 años. Fue fiel hasta la muerte. Confió en Jesucristo y sirvió fielmente a la Iglesia Bautista de Kenwood como diácono. Ahora sirve en presencia del Rey de reyes y Señor de los señores. Ha tomado su lugar en la corte celestial y ve el trono de la Majestad en lo alto.

La gran conquista de mi amigo en la vida fue la superación del mundo. Rechazó las mentiras del mundo en favor de la verdad de Dios. Confiando en Jesús, él conquistó. Su lucha ha terminado. Su batalla está ganada. Fue un conflicto épico de toda la vida entre el bien y el mal, mucho más significativo que cualquier partido de fútbol o elección. En juego en su vida humana, como en todas las vidas, estaba la propia gloria de Dios.

Glorificó a Dios en su matrimonio. Amaba a su esposa como Cristo amó a la iglesia, entregándose por ella y siendo fiel a ella hasta el final.

Glorificó a Dios en su compromiso con la iglesia de Cristo. Siempre estuvo dispuesto a hacer lo que pudiera para hacer discípulos de Jesús.

Él y su esposa glorificaron a Dios juntos adoptando una hija, tal como su padre celestial los adoptó.

Su cuerpo estuvo activo durante ochenta y un años, y ahora es un cadáver. Plantamos sus restos sin vida en la tierra, y lo siguiente que experimentarán esos restos es la resurrección cuando Jesús regrese, como lo describe el apóstol Pablo en 1 Corintios 15:42-49.

Nuestro primer padre fue exiliado del Edén. Israel fue ex-

57

pulsado de la tierra. Todos nosotros vivimos fuera de la presencia inmediata de Dios. La historia de la Biblia es nuestra historia, y el misterio se ha dado a conocer.

El héroe vino, experimentó el momento más profundo y oscuro del exilio para nosotros, abandonado por su Padre, y luego inauguró el regreso del exilio con su resurrección de la muerte. El Cordero de Dios que quita el pecado del mundo cumplió la Pascua, y nosotros que creemos hemos sido liberados de la esclavitud del pecado. Ahora estamos viajando hacia la Tierra Prometida. Para entender cómo Dios nos guía a través de este desierto, tomaremos algunos de los símbolos de la Biblia en la parte 2.

# Parte 2
# EL UNIVERSO
# SIMBÓLICO DE
# LA BIBLIA

# 6

## ¿QUÉ HACEN LOS SÍMBOLOS?

¿Has leído "Una paz solo nuestra", de John Knowles? Dos amigos, Gene y Phineas (apodado Finny), están en un árbol. Gene sacude una rama, Finny cae y se rompe la pierna, y la feliz inocencia del verano termina. Finny, previamente un gran atleta, nunca volverá a hacer deporte. Cuando finalmente regrese a la escuela, los otros estudiantes harán un juicio simulado para determinar si Gene causó la caída de Finny. Cuando se hace evidente que lo hizo, Finny se va enojado, se cae por unas escaleras de mármol, y se rompe la pierna de nuevo. Finny muere durante la operación para fijar su pierna. La muerte de Finny le da a Gene una cierta paz.

Menciono este libro porque está lleno de simbolismo. Un período de inocencia termina con la caída de un gran árbol. Esto es como en el jardín del Edén. Entonces la muerte del que pecó, le da paz al que causó la caída. Recuerdo a mi profesor de inglés del instituto hablando de que Finny era una figura de Cristo. Obviamente los paralelismos no son exactos, pero igual de obvio, John Knowles sabe cómo usar los símbolos.

Al centrar nuestra atención en el simbolismo, estoy tentado de decir que la parte 2 también trata sobre la interpretación figurada, porque me parece que la palabra figurativa se ha utilizado en el pasado para significar algo muy cercano a lo que quiero decir con la palabra tipológica. Sin embargo,

63

dudo en utilizar la palabra figurativa porque, si bien las conexiones tipológicas suelen establecerse apelando directamente a la evidencia textual -características exegéticas de los textos que forjan las conexiones que se interpretan-, la palabra figurativa parece utilizarse ahora para referirse a las conexiones forjadas por el intérprete aparte de los detalles exegéticos del texto.

Quiero centrarme en lo que los autores bíblicos pretendían comunicar, en cómo interpretaban las Escrituras antiguas y comunicaban su significado a través de los símbolos que empleaban. El simbolismo se desarrolla a través del uso de imágenes y de la repetición de patrones y tipos, que se examinarán en los capítulos siguientes. Aquí queremos que nuestras mentes se centren en lo que el uso del simbolismo logra para los autores bíblicos.

A Finny se le llama "Una figura de Cristo" por la forma en que lo que le sucede corresponde a lo que le sucedió a Jesús tanto en términos de los eventos que tuvieron lugar como en su significado para los demás. El árbol es significativo por la forma en que juega en la enemistad entre Gene y Finny: es la escena del crimen, y la caída del árbol eventualmente lleva a la muerte de Finny.

Si no entendemos el simbolismo de un libro, no entenderemos el mensaje de su autor. Esto es cierto para "Una paz solo nuestra", y también es cierto para la Biblia. El simbolismo de la Biblia resume e interpreta la gran historia de la Biblia.

El Antiguo Testamento establece un misterio, que se resuelve con lo que revela el Nuevo Testamento. Dios estableció un plan para unir todas las cosas en Cristo en la plenitud de los tiempos (Ef. 1:9-10). La Biblia contiene una narrativa general. En el mundo que Dios creó, la tensión entró en la narración cuando Adán y Eva pecaron y fueron expulsados de la presencia de Dios en el jardín del Edén. La gran resolución y el clímax de la historia, la consumación de todas las cosas anticipadas en los Profetas y descritas en el Apocalipsis, será un retorno a la presencia de Dios en un nuevo y mejor Edén.

Dentro de esta historia más amplia, como una especie de variación del tema, tenemos la historia de Dios liberando a Israel de Egipto en el éxodo, y luego instalando a la nación de Israel como un nuevo Adán en una especie de nuevo Edén cuando los israelitas conquistaron la Tierra Prometida. Como Adán fue exiliado del Edén, Israel fue exiliado de la tierra. Los profetas de Israel anunciaron que Dios lograría una nueva redención como el éxodo, y que este nuevo éxodo resultaría en regresos del exilio - regreso del exilio de la tierra de Israel y regreso del exilio del Edén.

En algunos puntos, las descripciones que predicen estos dos retornos, a la tierra y al Edén, se presentan una al lado de la otra, como si fueran uno y el mismo. Pero no es así. Israel regresó a la tierra, pero el exilio esperaba el pleno remedio en la muerte de Cristo en la cruz. El endurecimiento parcial de Israel, permanecerá hasta la llegada del número completo de los gentiles (Ro. 11:25; cf. Dt. 32:21; Is. 6:9-11; Mt. 13:14-16; He. 28:25-27). Somos esclavos liberados, liberados por el nuevo éxodo, extranjeros y exiliados en nuestro camino hacia la nueva y mejor Tierra de la Promesa, el nuevo y mejor Edén, los nuevos cielos y la nueva tierra.

Al intentar seguir los contornos de la historia que cuenta la Biblia, debemos entender los símbolos que los autores bíblicos usan al contar la historia. Si no entendemos los símbolos, no podremos entender partes claves de la historia.

Los símbolos se utilizan para resumir grandes ideas en imágenes que los autores bíblicos pretenden que sus audiencias entiendan. En Levítico, por ejemplo, Moisés no explica la razón de ser de los actos simbólicos realizados como los sacrificios ofrecidos. No necesitaba explicar esos actos, aparentemente porque todos en su audiencia entendían el simbolismo. Vivimos en una cultura diferente en la que el sacrificio de sangre no es algo que veamos típicamente. Han pasado miles de años. Para entender Levítico debemos tratar de reunir todo lo que Moisés dice sobre el sistema sacrificial para ayudarnos a entender lo que simboliza (para más información sobre este tema en particular, ver mi libro La Gloria de Dios en la Salvación a través del Juicio, 107-14).

Los símbolos en sí mismos cuentan una historia, pero ¿qué historia cuentan? En esta parte de nuestra consideración de la teología bíblica, queremos analizar la forma en que la gran historia de la Biblia es reforzada y resumida por el simbolismo que los autores bíblicos construyen en la narración. Veremos las imágenes, tipos y patrones que los autores bíblicos emplean para reforzar y resumir la gran historia de la Biblia.

El uso de este simbolismo produce lo que podría denominarse "universo simbólico", es decir, un conjunto de símbolos que explican e interpretan el mundo al representarlo. Referirse al universo simbólico de la Biblia es referirse al conjunto de imágenes, patrones, tipos, símbolos y signos que proveen las mentes de los autores bíblicos. Queremos entender esto porque queremos ver el mundo de la manera en que ellos lo hicieron, y queremos pensar en ello de esa manera también. Mientras buscamos entender y abrazar la visión del mundo reflejada en los escritos de los autores bíblicos, buscamos entender y abrazar su universo simbólico.

Para entender el universo simbólico de la Biblia, que resume e interpreta el significado del mundo tal y como realmente es, veremos las imágenes, tipos y patrones de la Biblia. Estas imágenes, tipos y patrones a menudo se colocan una encima de la otra, y esta superposición interpreta y comunica. Este uso de simbolismo e imágenes añade textura a la historia que cuenta la Biblia, reforzándola y haciéndola concreta.

Un símbolo, después de todo, es algo que se utiliza para sustituir a un conjunto de cosas. Por ejemplo, por alguna razón el símbolo de un partido político en los Estados Unidos es un burro, así como el símbolo del otro es un elefante. Cuando vemos estos símbolos, se pueden recordar muchas cosas: un político en particular, un conjunto de creencias y políticas asociadas a un partido político, o incluso un pa-

66

riente o amigo que vota por ese partido. El caso es que el burrito representa, o simboliza, mucho más que una mula en una granja en algún lugar.

Si queremos entender la Biblia, tenemos que considerar qué significan sus símbolos, qué historia están contando y cómo están interpretando y resumiendo lo que ha pasado antes, ya que señalan lo que es y lo que será. Empezaremos con imágenes antes de mencionar la tipología, y luego, los patrones.

# 7

# IMÁGENES

¿Esta charla sobre el simbolismo parece abstracta? ¿La gran historia de la Biblia parece abstracta? Las imágenes que utiliza la Biblia están destinadas a dar ilustraciones del mundo real de estos conceptos abstractos. Así que es como si los autores bíblicos reconocieran que las cosas son complicadas, y trataran de ayudar a su audiencia a entenderlas usando ejemplos. Tomemos un árbol, por ejemplo.

## UN ÁRBOL, UNA RAÍZ Y UNA RAMA

La obra de Dios en la creación está relacionada con su obra en la redención. Así que en la creación, leemos: "Y Jehová Dios plantó un huerto en Edén... Y Jehová Dios hizo nacer de la tierra todo árbol delicioso a la vista, y bueno para comer" (Gn. 2:8-9).

Entonces para ayudarnos a entender que la nación de Israel, redimida de Egipto, es como una nueva creación, Asaf habla de Israel como si la nación fuera una vid plantada por el Señor:

*"Hiciste venir una vid de Egipto;*
*Echaste las naciones, y la plantaste".* (Sl. 80:8)

Isaías también desarrolla esta imagen, presentando al Señor plantando una viña en Isaías 5:1-7. Debido a que la viña producía frutos podridos (5:5), Isaías es enviado para endurecer los corazones de la gente hasta que sean conducidos al exilio (6:9-12). Esto es como el árbol de Israel siendo cortado y su tronco quemado, pero la santa semilla, está en ese tronco (6:13). El Señor va a usar la nación de Asiria

69

como el hacha que corta el árbol de Israel (Is. 10:5-15), pero del tronco de Isaí habrá un retoño, una rama que dará fruto (Is. 11:1-10). Este retoño es tanto un individuo como un símbolo del resurgimiento de una nación. El rey David después del exilio representa el restablecimiento de la nación de Israel. Isaías saca mucho provecho de las imágenes de las ramas; como hemos visto, conecta este retoño del tronco de Isaí con el siervo sufriente que carga con el pecado del pueblo en Isaías 53 al compararlo con "una raíz de tierra seca" (53:2).

Estas imágenes de árboles se usan en toda la Biblia. Acabamos de ver cómo Isaías habla del Mesías como un retoño del tronco de Isaí. El juicio sobre el jardín que Dios plantó en Isaías 5, el árbol cortado en Isaías 6, y el retoño del tronco de Isaí en Isaías 11, todos cuentan la historia de Israel. La nación ha roto el pacto que Dios hizo con ellos en el Sinaí, así que serán exiliados de la tierra. Pero Dios cumplirá las promesas que le hizo a David, cuando más allá del exilio se levante un descendiente de David.

Puede ser que Isaías se sintiera impulsado a utilizar imágenes de árboles para describir la historia y el futuro de Israel y su Mesías, debido al uso de símbolos similares en los Salmos 1 y 2. Estos dos primeros salmos introducen todo el libro de los Salmos. El Salmo 2 es fuertemente mesiánico, y las conexiones entre los Salmos 1 y 2, con el tinte davídico de todo el Salterio, colorean el Salmo 1 con un tono mesiánico. El Salmo 1 describe al hombre bienaventurado que medita en la ley como un árbol plantado junto a corrientes de agua, que da sus frutos a su debido tiempo. Es casi como si el hombre bienaventurado que medita en la Biblia fuera un árbol en el jardín de Dios.

Estas imágenes interpretan la historia conectando la tala de la nación de Israel (Isaías 6, 10) con la semilla santa en el tronco que queda (Is. 6:13). Las imágenes crean la impresión de que el destino de la nación está o recae en la piedad del rey. También reafirma la idea de que el rey representa a toda la nación.

Nosotros los cristianos tenemos buenas noticias: el retoño del tronco de Isaí está dando frutos. La raíz de la tierra seca llevó nuestros pecados y cumplió perfectamente con la ley. Su hoja no se marchitará y su fruto no fallará (cf. Isaías 11, 53; Salmo 1). Podemos confiar en Jesús.

Los cristianos también estamos llamados a seguir a Jesús, el hombre bienaventurado que meditó en la Biblia día y noche. Debemos ser árboles florecientes como Jesús, y eso lo obtendremos entregando nuestra mente a la Biblia.

La Biblia dice que los que no son cristianos serán como la paja que el viento sopla (Sl. 1:4-5). Queremos ser árboles plantados por corrientes de agua viva, no paja arrastrada por el viento.

El árbol que Dios plantó en el jardín se convierte en un símbolo de la nación redimida de Israel y de Aquel que redimiría tanto a Israel como a las naciones, dándoles acceso al árbol de la vida (Ap. 22:2).

También hay actos decisivos de juicio que llegan a simbolizar la manifestación de la ira de Dios contra los rebeldes. Tomemos el diluvio, por ejemplo.

## EL DILUVIO

Así como hay una conexión entre la creación y la redención, hay una conexión entre el juicio y la de-creación. Moisés comunica esto describiendo el diluvio para que su audiencia vea puntos de contacto significativos entre la creación original y el nuevo mundo que aparece una vez que las aguas del diluvio retroceden.

Considere estos paralelos entre las narraciones de la creación y del diluvio: Dios separó las aguas para que apareciera la tierra seca en Génesis 1:9-10, y el Espíritu se movía sobre la faz de las aguas en 1:2; después del diluvio, Dios envió el viento/espíritu para hacer que las aguas retrocedieran y la tierra seca apareció de nuevo en Génesis 8:2-3. Dios había ordenado a Adán que fuera fructífero y se multiplicara en

Génesis 1:28, y le da la misma orden a Noé en 9:1 y 9:7. Así como Adán pecó al comer del árbol en Génesis 3, Noé también pecó al abusar del fruto de la vid en Génesis 9. En ambos casos, la desnudez fue expuesta y luego cubierta. El juicio de Dios fue manifiesto en las aguas del diluvio, pero el diluvio no lavó el pecado humano.

Moisés quiere que su audiencia vea la correspondencia entre Adán y Noé. Estas correspondencias insinúan que el juicio de Dios es una especie de de-creación, mientras que la redención es en esencia una nueva creación.

Moisés también quiere que su audiencia vea las correspondencias entre Noé y él mismo, por lo que utiliza el mismo término para describir tanto el arca de Noé (Gn. 6:14) como la canasta en la que su madre lo puso (Ex. 2:3). Al igual que Noé, que se salvó a través de las aguas en esa arca, aguas en las que murieron todos los contemporáneos de Noé, Moisés se salvó a través de las aguas en una arquilla, aguas en las que murieron los contemporáneos de Moisés. Como Noé, que salió del arca y entró en un pacto con Dios en Génesis 9, Moisés salió del arca y entró en un pacto con Dios en Éxodo 20-24. Como Noé, que entró en una nueva creación cuando salió del arca, Moisés llevó a Israel a una sombra de la nueva creación mientras los llevaba a la Tierra Prometida. En el diluvio y en el éxodo de Egipto, Dios salvó a su pueblo mediante el juicio.

Los autores bíblicos posteriores usan las imágenes del diluvio para señalar futuras manifestaciones del juicio de Dios. Como en el diluvio y el éxodo, Dios salvará a su pueblo a través de estos juicios posteriores y entrará en un nuevo pacto con ellos.

Vemos imágenes de inundaciones en los Profetas y los Salmos cuando los ejércitos extranjeros se describen como un diluvio que arrasaría a Israel (por ejemplo, el Salmo 124; Isaías 8). Estos enemigos van a arrasar a Israel como un torrente de aguas destructivas porque Israel ha roto el pacto. También en este caso se utilizan las imágenes del diluvio para resumir e interpretar la narración de la Biblia.

Esta realidad no se limita al Antiguo Testamento: Jesús habló de su muerte como un bautismo (por ejemplo, Marcos 10:38-39), lo que significa que Jesús describió su muerte como una inmersión en las aguas del juicio de Dios. Jesús murió bajo todo el peso de la ira de Dios contra el pecado. La muerte de Jesús es el cumplimiento de lo que el diluvio de Noé anticipó. Este es el juicio a través del cual Dios salva a su pueblo. Cuando los creyentes son bautizados por la fe en Jesús, se unen a él en su experiencia de las aguas de la ira de Dios. Por eso Pedro dice que el diluvio corresponde al bautismo, que ahora nos salva (1 Pe. 3:20-21).

El diluvio interpreta y explica la línea de la historia de la Biblia: el pecado, el juicio a través del cual viene la salvación, el nuevo pacto, la nueva creación. El diluvio también anticipa las aguas de la ira de Dios que serán manifestadas en Israel a través de ejércitos extranjeros, cuyas aguas de ira encontrarán su cumplimiento en el bautismo de Jesús al morir en la cruz. Así como Noé fue salvado por la manifestación de la ira de Dios en el mundo, aquellos que creen en Jesús son salvados a través de la manifestación de la ira de Dios en la cruz. El diluvio también señala la culminación de la historia. Pedro explica que " el mundo de entonces fue destruido, siendo inundado por el agua " mientras que " los cielos y la tierra actuales están reservados por Su palabra para el fuego, guardados para el día del juicio y de la destrucción de los impíos." (2 Pedro 3:6-7 NBLA). Dios purificó el mundo por el agua en el diluvio, y lo purificará por el fuego en el futuro.

El árbol y el diluvio son realidades históricas que vienen a ser utilizadas en las imágenes de los autores bíblicos, ya que conectan la creación con la nueva creación mientras interpretan la historia que se extiende de principio a fin. Tanto el árbol como el diluvio resumen e interpretan la historia mientras forjan conexiones entre la creación y la redención y el juicio. Los autores bíblicos también utilizan el tabernáculo y el templo para simbolizar el mundo que Dios hizo como escenario de esta historia de creación, caída, redención y restauración.

## EL TEMPLO Y LA IMAGEN DENTRO DE ÉL

El mundo es un templo cósmico. Reflejando suposiciones comunes en el antiguo Cercano Oriente, y mostrando que vio las conexiones literarias que Moisés construyó en sus narraciones del Edén y el tabernáculo en el Génesis y el Éxodo, Asaf escribe del templo en Jerusalén:

"Edificó su santuario a manera de eminencia,
Como la tierra que cimentó para siempre." (Sl. 78:69)

Esta comparación refleja una profunda realidad teológica: el templo está destinado a ser una imagen del cosmos. El templo y, antes, el tabernáculo eran versiones a pequeña escala del mundo que Dios hizo. Isaías vio esta misma realidad. El estrado del Señor es el arca del pacto en el Lugar Santísimo del templo (cf. 1 Crón. 28:2), pero Isaías sabe que la tierra fue construida para ser la morada de Dios. El Señor dice a través de Isaías:

*"Jehová dijo así:*
*El cielo es mi trono,*
*Y la tierra estrado de mis pies;*
*¿Dónde está la casa que me habréis de edificar,*
*Y dónde el lugar de mi reposo?* " *(Is. 66:1)*

El lugar de descanso de Dios era el mundo que él construyó (Gen. 2:3). Esta idea de que el mundo es la morada global de Dios, es también lo que vemos cuando la Nueva Jerusalén desciende de Dios desde el cielo, y las dimensiones y adornos de los nuevos cielos y la tierra muestran que es un enorme Lugar Santísimo. No hay ningún templo allí, pero Dios y el Cordero son el templo (Ap. 21:9-27). Por eso las campanas de los caballos de la Nueva Jerusalén llevarán la inscripción puesta en la frente del sumo sacerdote (Za. 14:20; Ex. 28:36).

La idea de que la creación es un templo también nos ayuda a entender a la humanidad, la imagen de Dios. Aquellos que adoran ídolos ponen piezas talladas y decoradas de madera o piedra en sus templos para representar a sus dioses. En la historia real del mundo, el Dios vivo pone su imagen viva en el templo cósmico: un ser humano que camina, habla y adora. La imagen de Dios lo representa en su templo.

Una vez más el símbolo, en este caso el templo, resume y expone la historia de la Biblia: cuando la gloria de Dios llenó el tabernáculo y, más tarde, el templo (Ex. 40:34; 1 Reyes 8:10-11), Dios le dio a Israel un anticipo de la forma en que llenará el templo cósmico con su gloria. Lo que Dios hizo en el microcosmos, lo hará en el macrocosmos. Lo que Dios retrató en el símbolo, lo cumplirá en la realidad.

Israel rompió el pacto, por lo que Dios condujo al pueblo al exilio. La culminación de la conquista de Jerusalén fue la destrucción del templo (2 Reyes 25:9). Cuando los profetas señalan la destrucción del templo, hablan como si el mundo fuera a ser demolido cuando Dios juzgue a Israel por su pecado. Un pasaje que captura esto es Jeremías 4:23, que describe al mundo volviendo al estado de Génesis 1:2 "desordenada y vacía" cuando Dios manifieste su juicio. Por eso habrá oscuridad (por ejemplo, Amós 8:9) como había antes de que Dios hiciera la luz, por eso la tierra temblará y las estrellas desaparecerán (Joel 2:10), como las montañas se derretirán (Mi. 1:3-4), y nadie podrá permanecer de pie (Na. 1:6).

Los babilonios derribaron el templo cuando destruyeron Jerusalén en el 586 AC. Debido a que el templo simboliza el cosmos, la destrucción del templo apunta hacia la destrucción del mundo. Esta comprensión del simbolismo nos permite entender las imágenes cósmicas que los profetas del Antiguo Testamento usan para entender el significado de las amenazas al templo. Cuando el templo fue derribado, el juicio de Dios cayó con una destrucción de-creadora. Lo que pasó con el símbolo sucederá con lo que el símbolo representa cuando, como dice Pedro, "en el cual los cielos, encendiéndose, serán deshechos, y los elementos, siendo quemados, se fundirán!" (2 Pe 3:12).

Sin embargo, entre la destrucción del templo en el 586 a.C.

y el gran día, vemos otra vez que el cielo se volvió negro, la tierra tembló, y esta vez el hombre que simbólicamente había reemplazado el templo fue destruido. Jesús habló de su muerte como la destrucción del templo en Juan 2:19 porque su muerte cumplió con la manifestación de la ira de Dios contra el pecado anticipado por la destrucción del templo en 586 AC. La muerte de Jesús salva a todos los que confían en él de la expresión final de la ira de Dios en el gran día, cuando Dios quemará el templo cósmico.

## LAS SOMBRAS Y LA SUSTANCIA

El árbol, el diluvio y el templo son sombras, pero la sustancia pertenece a Cristo (Col. 2:17), la imagen del Dios invisible (Col. 1:15).

Jesús está construyendo un nuevo templo, no un edificio, sino creyentes. Somos el templo de Dios, y el Espíritu de Dios habita en nosotros (1 Cor. 3:16; 6:19). Piensen en la santidad del tabernáculo y el templo del Antiguo Testamento. Sólo los sacerdotes pueden entrar en el lugar santo, sólo el sumo sacerdote puede entrar en el Lugar Santísimo, y sólo una vez al año. ¿Tu vida se caracteriza por la santidad necesaria para la morada de Dios? Sin esa santidad nadie verá al Señor (Heb. 12:14).

No te desanimes. La morada del antiguo pacto de Dios fue purificada por el sacrificio ofrecido en el Día de la Expiación. La muerte de Cristo ha purificado el templo del nuevo pacto. Esta es la sangre que lava toda mancha (Heb. 9-10). Confía en ella. Confía en él.

Los símbolos resumen e interpretan la gran historia de la Biblia. Los eventos clave de esa historia llegan a ser usados como imágenes que conectan la creación con el juicio y la redención. También hay patrones clave que anuncian el tipo de cosas que lleva al pueblo de Dios a entender lo que Él hace cuando salva a través del juicio para mostrar su gloria.

# 8

## TIPOLOGÍA

Todo lo que se describe en estos capítulos sobre el simbolismo está relacionado, al menos, con la tipología bíblica. El diluvio es un tipo, como lo es la destrucción del templo. Me he referido a ellas como "imágenes" principalmente por su similitud con las imágenes de los árboles en la Biblia. Pero aunque las imágenes de árboles se utilizan para resumir y explicar la historia de la Biblia, un árbol difícilmente puede ser considerado un tipo.

Las dos características clave de la tipología bíblica son la correspondencia histórica y la progresividad. La correspondencia histórica tiene que ver con la forma en que las personas, eventos o instituciones reales concuerdan entre sí -Noé y Moisés realmente se salvaron a través de las aguas en las que otros murieron, por ejemplo. La progresión tiene que ver con la forma en que, a medida que nos movemos desde la etapa inicial, que podríamos llamar el arquetipo, a través de las etapas del modelo que reflejan el significado del arquetipo, reunimos los recursos a medida que el tipo encuentra su cumplimiento en su última expresión. La importancia aumenta a lo largo del camino desde el arquetipo hasta la culminación.

### PRECEDIENDO FIGURAS:
### PERSONAS, EVENTOS E INSTITUCIONES

La tipología introducida en el Antiguo Testamento funciona como una prefiguración literaria, pero es más que un mero dispositivo literario. Los tipos no son correspondencias arbitrarias inventadas por los autores bíblicos, sino relatos genuinos de lo que realmente ocurrió. Los autores bíblicos están llamando la atención sobre personas, eventos e instituciones en las que el autor divino ha causado una semejanza real. Examinar la tipología bíblica es examinar como un todo el plan del Dios soberano.

A medida que la gente se da cuenta del tipo de cosas que Dios ha hecho e interpreta estos modelos a la luz de las promesas que Dios ha hecho, comienzan a esperar que Dios actúe en el futuro como lo ha hecho en el pasado. Esta prefiguración tipológica involucra a personas, eventos e instituciones. Aquí consideraremos ejemplos de cada uno de ellos.

Personas. El faraón trató de matar al bebé Moisés; Herodes trató de matar al bebé Jesús. Moisés y sus padres eran extranjeros en la tierra de Egipto; Jesús y sus padres eran extranjeros en la tierra de Egipto. Dios convocó a Moisés para sacar a Israel, su hijo primogénito (Ex. 4:22) de Egipto; Dios le dio un sueño al esposo de María, José, en respuesta al cual él sacó a Jesús, el Hijo amado de Dios, de Egipto (Mt. 2:15). Moisés condujo a los hijos de Israel a través de las aguas del Mar Rojo al desierto, donde el pueblo fue tentado y pecó (Éxodo 16-34); Jesús fue bautizado en el río Jordán por Juan, y luego fue al desierto para ser tentado por Satanás, donde se mantuvo firme en la Palabra de Dios (Mt. 3:13-4:11). En el Monte Sinaí, Moisés subió al monte y bajó con el Libro del Pacto (Éxodo 19-24, especialmente 24:7); Jesús "Viendo la multitud, subió al monte; y sentándose, vinieron a él sus discípulos." (Mt. 5:1); y Jesús enseñó a sus discípulos la ley de Cristo (cf. 1 Cor. 9:21; Ga. 6:2) en el sermón del monte (Mateo 5-7). Estos son algunos de los puntos de correspondencia histórica entre Moisés y Jesús.

También hay una escalada de Moisés a Jesús: Moisés sacó a Israel de la esclavitud en Egipto; Jesús salvó a su pueblo de la esclavitud del pecado. Moisés guió a Israel a la sombra del nuevo Edén, la Tierra Prometida; Jesús guiará a su pueblo al nuevo y mejor Edén, los nuevos cielos y la nueva tierra.

Eventos. En el éxodo de Egipto, después de que Moisés fue preservado del ataque a su vida por la semilla de la serpiente, fue inicialmente rechazado por el pueblo de Israel (Ex. 2:14). Se fue, se casó con una gentil (Ex. 2:21), y luego regresó para sacar a Israel de Egipto. El Señor hirió a los primogénitos de Egipto, pasando por encima a los primogénitos de Israel a causa de la sangre del cordero pascual en los dinteles de sus casas. Israel fue "y todos en Moisés fueron bautizados en la nube y en el mar" (1 Cor. 10:2), y luego el pueblo comió "alimento espiritual" y bebió "bebida espiritual" (10:3) como el maná que venía del cielo y el agua de la roca. En el Sinaí, Israel entró en un pacto con Jehová (Éxodo 20-24), y la nación recibió instrucciones (Éxodo 25-31) y luego construyó (Éxodo 35-40) el tabernáculo.

Lo que Jesús ha logrado es el cumplimiento tipológico del éxodo porque hay una correspondencia histórica entre los eventos y una progresividad en su significado. Jesús fue preservado del ataque a su vida por la semilla de la serpiente, y el pueblo de Israel inicialmente lo rechazó. Sin embargo, Pablo enseña que cuando Jesús regrese, todo Israel se salvará (Ro. 11:25-27). Por el momento, Jesús tiene una iglesia predominantemente gentil para su novia. Pablo identifica a Jesús como nuestro Cordero de la Pascua (1 Cor. 5:7), y los que creen en Jesús han sido bautizados en él. Participamos de una mejor comida y bebida espiritual en la Cena del Señor, y en la ley de Cristo hemos recibido una ley mejor que vino con un mejor pacto (Hebreos 8-9, especialmente 8:6). La iglesia está siendo construida en un nuevo templo (por ejemplo, 1 Cor. 3:16; 1 Pe. 2:4-5).

Aquí también el arquetipo del Antiguo Testamento y su cumplimiento en Cristo en su muerte y resurrección, apuntan hacia la consumación de todas las cosas, ya que el libro de Apocalipsis también presenta el derramamiento final de la ira de Dios en un patrón de éxodo, con los juicios que acompañan a las trompetas y las copas correspondientes a las plagas de Egipto. En el éxodo de Egipto, Dios salvó a su pueblo de la esclavitud de los egipcios. En el nuevo éxodo que Jesús llevó a cabo en la cruz (cf. Lucas 9:31),

Dios salvó a su pueblo de sus pecados. En el éxodo de la época actual Dios salvará a su pueblo de la esclavitud de la corrupción (Ro. 8:18-25; Ap. 20:14-21:8).

Jesús es un nuevo y mejor Moisés que ha ofrecido un nuevo y mejor sacrificio, porque es el nuevo y mejor sacerdote mediador de un nuevo y mejor pacto a medida que avanzamos hacia la nueva y mejor tierra. Jesús es también un nuevo y mejor David, y nos está llevando a un nuevo y mejor reino, uno que nunca será conmovido.

Instituciones. Tanto el sacerdocio como el sistema de sacrificios dado al Israel del Antiguo Testamento son sombras que apuntan hacia mejores realidades en Cristo (cf. Heb. 10:1). En Hebreos 5-7 el autor explica cómo Jesús cumple el sacerdocio y lo reemplaza, y en Hebreos 9-10 el autor explica cómo la muerte de Cristo en la cruz es un mejor sacrificio, cumpliendo el sistema levítico y llevándolo a su fin:

•Nuevo y mejor Moisés
•Nuevo y mejor David
•Nuevo y mejor Sacerdote
•Nuevo y mejor sacrificio
•Nueva y mejor ley
•Nuevo y mejor pacto

## NINGUNO DE SUS HUESOS SERÁ QUEBRADO

Hemos analizado ejemplos de personas, eventos e instituciones que se incorporan a la tipología bíblica, pero esto no debería llevarnos a la conclusión de que se trata de tres categorías no relacionadas entre sí. A veces las personas, eventos e instituciones están entrelazadas, como en el caso del ejemplo que consideramos ahora. Espero mostrar que el acontecimiento del éxodo, la fiesta instituida de la Pascua, y la persona de David alimentan lo que dice Juan sobre cómo la muerte de Jesús es el cumplimiento tipológico del éxodo, la Pascua y el sufrimiento y la liberación de David.

Los autores del Nuevo Testamento afirman constantemente que el Antiguo Testamento se ha cumplido. Juan 19:36 es un buen ejemplo. El soldado romano atravesó el costado de Jesús (Juan 19:34). Juan insiste en que él mismo lo vio y dice la verdad (19:35), y luego escribe, "Porque estas cosas sucedieron para que se cumpliese la Escritura: No será quebrado hueso suyo." Al leer esto, la mayoría de nosotros probablemente asume que el Antiguo Testamento predijo que ninguno de los huesos del Mesías se rompería.

Sin embargo, si buscamos la referencia cruzada, encontramos que Éxodo 12:46 no predice lo que le sucederá al Mesías sino que da instrucciones sobre el cordero de la Pascua. ¿Qué está pasando aquí? El texto que Juan parece afirmar que se ha cumplido no es ni siquiera una predicción!

¿Cómo interpreta Juan Éxodo 12:46? Sostengo que Juan está interpretando ese versículo de la misma manera que David lo interpretó en el Salmo 34:20. Déjame explicarte.

Como he mencionado, los autores bíblicos posteriores usan los eventos del éxodo de Egipto como paradigma para describir la salvación de Dios. En varios puntos vemos esto en los Salmos. Encontramos un uso intensivo de las imágenes del éxodo en el Salmo 18, del cual espero establecer este punto, de modo que cuando notamos un uso más ligero de las imágenes del éxodo en el Salmo 34, podemos suponer que la misma dinámica está en funcionamiento.

En el Salmo 18 David describe cómo el Señor "lo rescató de la mano de todos sus enemigos, y de Saúl" (descripción del Salmo 18). David comienza profesando su amor por el Señor (18:1-3), luego usa metáforas para describir las dificultades que enfrentó (18:4-5) y relata cómo invocó a Jehová (18:6). Cuando David describe al Señor respondiendo a sus oraciones en el Salmo 18:7-15, utiliza imágenes del relato de la forma en que Jehová se apareció a Israel en el Monte Sinaí en Éxodo 19:16-20.

El temblor de la montaña (Sl. 18:7; cf. Ex 19:18), el humo (Sl. 18:8; cf. Ex. 19:18), los relámpagos y los truenos, y el fuego y el Señor descendiendo (Sl. 18:8-14; cf. Ex. 19:16-20) todas estas imágenes vienen directamente de la teofanía

83

del Sinaí. Pero va más allá de la simple reutilización de una descripción de Dios apareciendo en nombre de su pueblo. Dado que Éxodo 19-24 relata cómo Dios hizo un pacto con Israel, David podría estar conectando la forma en que Dios hizo un pacto con Israel y la forma en que Dios hizo un pacto con él (2 Samuel 7; Sl.. 89:3).

David continúa describiendo al Señor que lo liberó, y asemeja esto a la división del Mar Rojo (Sl. 18:15; cf. Ex. 15:8), a él siendo sacado de las aguas como Moisés (Sl. 18:16; cf. Ex. 2:10), y al Señor llevándolo a un lugar espacioso como la Tierra Prometida (Sl. 18:19). ¿Qué está haciendo David? Está describiendo al Señor librándolo de Saúl y de todos sus enemigos (descripción del Salmo 18), y está usando los eventos del éxodo de Egipto, el pacto en el Sinaí y la conquista de la tierra como una especie de esquema interpretativo para describir la forma en que el Señor lo salvó.

David emplea imágenes similares, aunque menos, en el Salmo 34. En el Salmo 34 describe otro caso en el que estuvo en peligro y el Señor lo protegió (descripción del Salmo 34). Bendice al Señor (34:1-3), y luego relata cómo clamó al Señor por ayuda (34:4-6). A continuación David hace una declaración que resume cómo el Señor protegió a Israel de Egipto mientras estaban atrapados entre los carros del faraón y el Mar Rojo. Éxodo 14:19-20 relata cómo:

*"Y el ángel de Dios que iba delante del campamento de Israel, se apartó e iba en pos de ellos; y asimismo la columna de nube que iba delante de ellos se apartó y se puso a sus espaldas, e iba entre el campamento de los egipcios y el campamento de Israel; y era nube y tinieblas para aquéllos, y alumbraba a Israel de noche, y en toda aquella noche nunca se acercaron los unos a los otros."*

Si quisiéramos expresar esto de manera poética, nos costaría mucho mejorar lo que David dice en el Salmo 34:7:

*"El ángel de Jehová acampa alrededor de los que le temen, Y los defiende".*

Si no fuera por lo que David dice en el Salmo 34:20, podríamos pensar que no hay nada más que una reutilización de las imágenes. En el versículo 20, sin embargo, David utiliza el lenguaje y las imágenes de las instrucciones para el cordero de la Pascua en Éxodo 12:46 cuando describe al Señor preservando a los justos:

*"El guarda todos sus huesos;*
*Ni uno de ellos será quebrantado".* (Sl. 34:20)

¿Cómo pasamos de las declaraciones sobre el cordero de la Pascua en Éxodo 12:46 a la reutilización de ese lenguaje e imágenes en el Salmo 34:20? Consideremos los versículos anteriores al Salmo 34:20.

El Salmo 34:18 habla de que el Señor está cerca de "los quebrantados de corazón" y salva "a los contritos de espíritu". En hebreo estos términos están en plural, lo que significa que David se refiere a todos los que se ponen de su lado, los que se refugian (Sl. 34:8) y temen al Señor (34:9) y se convierten de su pecado (34:14). Pero luego en el Salmo 34:19 hay un cambio del plural al singular:

*"Pero de todas ellas le librará Jehová".*

Este cambio al singular, mueve el enfoque de aquellos que están sufriendo con David (Sl. 34:18; cf. 1 Sam. 22:1-2) al mismo David (Sl. 34:19). David representa a aquellos que se han alineado con él. Cuando David sea liberado de sus enemigos, todos los que estén de su lado, estarán también a salvo.

Cuando David usa la imagen del cordero de la Pascua en el Salmo 34:20, y en el versículo 19 los términos son singulares y no plurales, parece estar hablando de su propia preservación como si fuera una especie de cordero de la Pascua para los que están alineados con él. Es casi como si David hablara del Señor liberándolo de sus enemigos como si fuera un nuevo éxodo. Tal vez David no espera morir, pero está sufriendo a manos de sus enemigos y sabe que vendrán otros antes de su liberación. Espera con confianza ser llevado a través de la persecución y la aflicción, así como Dios salvó a Israel en el éxodo de Egipto. Cuando Dios libere a David, los malvados serán muertos (Sl. 34:21) y la vida de los siervos del Señor será redimida - y sabemos dónde redimió Dios a sus siervos: en el éxodo (Sl. 34:22).

El punto es que en los Salmos 18 y 34 David describe como el Señor lo salvó, los acontecimientos del éxodo sirven como una especie de plantilla o paradigma o esquema. La salvación que Dios logró para Israel en el éxodo es el arquetipo. David entonces interpreta y describe su propia liberación en términos extraídos del arquetipo, haciendo que la liberación que el Señor logró para David sea una parte del modelo tipológico del éxodo. Como hemos visto, los Profetas describen la futura liberación que el Señor cumplirá para Israel después del exilio como otra entrega en ese modelo tipológico. Y en Juan 19:36, Juan afirma que Jesús ha cumplido este modelo en su muerte en la cruz.

Juan no afirma que Éxodo 12:46 sea una predicción de que los huesos de Jesús no se romperán. Juan está afirmando que Jesús es el cumplimiento tipológico, o antitipo, del cordero de la Pascua. La muerte de Jesús cumple con la muerte del cordero. El éxodo de Egipto es la salvación arquetípica que Dios logra para su pueblo, y la muerte de Cristo en la cruz es el cumplimiento de lo que el éxodo tipificó.

# 9

# PATRONES

En el capítulo anterior distinguí las imágenes de los tipos porque el uso de imágenes de árboles, y un árbol no es exactamente un tipo. En este capítulo estoy distinguiendo patrones de tipos porque los dos patrones que quiero considerar aquí son muy amplios. Estos patrones, sin embargo, al igual que otras imágenes examinadas anteriormente, podrían describirse como tipológicos. La repetición del patrón crea la impresión de que esto es lo que típicamente sucede, lo que hace que la gente lo note y espere más de él. Aquí quiero considerar el patrón de las fiestas de Israel y el patrón del justo que sufre.

## FIESTAS DE ISRAEL

Deuteronomio 16:16 declara que tres veces al año todos los varones de Israel debían presentarse ante el Señor para las fiestas de la Pascua, Pentecostés y los Tabernáculos. Estas no eran las únicas fiestas, pero como eran las tres que se celebraban anualmente, nos centraremos en ellas aquí. La Pascua celebraba la liberación de Israel de Egipto por parte de Dios. Pentecostés, se conoce como la Fiesta de la Cosecha en otros lugares (Ex. 23:16). Y en la Fiesta de los Tabernáculos, celebraban la forma en que Dios proveyó a Israel mientras el pueblo vivía en estructuras temporales o tabernáculos durante el periodo de tiempo en el desierto, vagando camino a la Tierra Prometida.

La celebración anual de estas fiestas mantendría a Israel mirando hacia atrás a la forma en que Dios los salvó en el éxodo, los llevó a través del desierto y les dio una tierra fértil. Recordarse constantemente a sí mismos estas cosas a través de la celebración de las fiestas, crearía un patrón mental a través del cual, interpretarían sus vidas y según el cual, esperarían que Dios actuará por ellos en el futuro.

Cualquiera que tenga ojos para ver podría decir que Israel necesitaba ser liberado de algo más que la esclavitud en Egipto. Hay una forma peor de esclavitud - subyugado al peor de los tiranos, el pecado. Y cualquiera podía ver que mientras que los israelitas esperaban que las maldiciones fueran revocadas algún día, ese día aún no había llegado. La tierra aún no había florecido al estilo del Edén.

El patrón de la celebración anual de la Pascua, entonces simbolizaría e informaría las esperanzas de una redención más profunda, y esto es exactamente lo que encontramos en los profetas de Israel. El patrón de la fiesta de los Tabernáculos enseñaría a Israel que así como Dios les proveyó en su viaje a través del desierto en el pasado, también les proveería en su viaje a través del desierto después del nuevo éxodo. Y así también con Pentecostés, que señalaba a Israel hacia el día en que el arador alcanzará al segador (Amós 9:13).

Hasta ese día, los israelitas que estudiaban las Escrituras verían un modelo de sufrimiento en la vida de los justos, y dada la forma en que las imágenes, tipos y patrones informaban su comprensión simbólica del mundo, tal vez esperarían un cumplimiento de este patrón también (Puede verse en la expectativa de Simeón en Lucas 2:34-35). Eso parece ser lo que encontramos en el Antiguo Testamento acerca del justo que sufre.

## EL JUSTO SUFRIENTE

Caín mató a Abel. Abraham tuvo problemas con los filisteos, y tal vez estos fueron los días del sufrimiento de Job. Ismael se burló de Isaac. Esaú quería matar a Jacob, y los hermanos de José lo vendieron como esclavo. Los israelitas rechazaron a Moisés, como hicieron con todos los profetas que se levantaron a su semejanza: Elías, Eliseo, Isaías, Jeremías y los demás. Bien podía Jesús decir que Jerusalén era la ciudad que apedreaba a los profetas y mataba a los que le enviaban (Mt. 23:37), y también profetizó que la sangre de todos los justos, desde el primer mártir del Antiguo Testamento, Abel, hasta el último, Zacarías, sería imputada a la generación que le dio muerte (Lucas 11:49-51).

Este patrón del justo que sufre es particularmente fuerte en el libro de los Salmos, donde David habla de su liberación de la persecución y la aflicción en términos que recuerdan el éxodo de Egipto en el Salmo 18:7-16 (cf. descripción del Salmo 18). Y en el Salmo 34 David utiliza imágenes del éxodo (Sl. 34:7; cf. Ex. 14:19-20) y parece describir su liberación en términos que recuerdan a Israel siendo liberado por el cordero Pascual (Sl. 34:20; cf. Ex. 12:46). Como Jesús cumplió el patrón del justo sufriente, muriendo como el Cordero de Dios para lograr la redención en el nuevo éxodo, ninguno de sus huesos fue quebrado (Juan 19:34-36).

Jesús es el Salvador a quien apuntan las fiestas: el Cordero de la nueva Pascua en el nuevo éxodo, el pan del cielo y el agua viva que resucitó entre nosotros en nuestro viaje a la Nueva Jerusalén, las primicias de la resurrección de los muertos. Jesús es el justo sufriente. Siendo injuriado no pronunció ninguna amenaza. Y aquellos que lo seguirían, han de seguir sus pasos.

### ¿QUÉ NOS ENSEÑAN LOS SÍMBOLOS?

Entonces, simbólicamente hablando, los seguidores de Jesús son esclavos liberados. Las cadenas del pecado se han roto. Hemos sido comprados con un precio y debemos glorificar a Dios con nuestros cuerpos (1 Cor. 6:20). Nos dirigimos hacia un nuevo y mejor Edén, los nuevos cielos y la nueva tierra, y aquí no tenemos una ciudad permanente (cf. Heb. 13:14).

Estos símbolos se nos dan para dar forma a nuestra comprensión de nosotros mismos. Nos muestran quiénes somos. Nos dan nuestra identidad. Cuentan la historia de nuestras vidas en el mundo real.

Al mirar hacia una ciudad mejor, estamos llamados a seguir los pasos de Jesús sufriendo por hacer el bien (1 Pe. 2:19-23). Debemos tomar nuestras cruces y seguirlo (Marcos 8:34), teniendo en nosotros el mismo enfoque de obedecer al Padre y servir a los demás que él modeló en la obediencia hasta la muerte (Flp. 2:1-11).

Los símbolos bíblicos se nos dan para moldear nuestra comprensión de cómo debemos vivir. Jesús es nuestro paradigma, nuestro modelo, nuestro ejemplo. Los símbolos resumen e interpretan la historia, e informan sobre quiénes somos en la historia y cómo debemos representar nuestro papel en el desarrollo de su trama.

Una Paz solo nuestra de John Knowles comienza con Gene regresando al árbol del que su amigo Finny cayó quince años antes, lo que llevó a la muerte de Finny. El libro se desarrolla mientras Gene recuerda los eventos que rodean a ese árbol. Pero hay una historia más grande y mejor, la arquetípica que da origen a todas las demás: el gran código. Hay Uno que llevó nuestros pecados en su cuerpo en un madero (1 Pe. 2:24) para salvarnos de la caída que tuvo lugar en el árbol del jardín. Hay un Salvador cuya muerte es más poderosa que la de Finny, y un perdón que no da una paz solo nuestra, sino una completa y unida paz.

# Parte 3
# LA HISTORIA DE
# AMOR DE LA BIBLIA

# 10

## UNA CANCIÓN PARA LA DAMA QUE ESPERA

### *La novia de Cristo y la teología bíblica*

Nadie sabe lo que le pasó a la madre. La niña fue encontrada en su sangre. El amable padre que la encontró, no su propio padre, literalmente le dio la vida. Cuando la bebé fue encontrada, el cordón no había sido cortado ni la sangre del recién nacido había sido lavada. El padre proporcionó todo lo necesario, y la niña fue adoptada y criada en un ambiente seguro y amoroso. El padre que la encontró comenzó a hacer planes para desposarla con su propio hijo.

Cuando alcanzó la madurez, dio un giro trágico. Confió en su propia belleza y buscó abrirse camino. Pronto estaba vendiendo cosas invaluables. A ella misma. Al poco tiempo estaba esclavizada, sin esperanza, arruinada.

Entonces el padre que la encontró primero la sacó de la esclavitud. Habiéndola redimido, hizo todo lo que pudo para limpiarla y purificarla. Y para el asombro de ella, la desposó con su hijo.

Se casaron y pronto ella concibió un niño. Traerlo al mundo fue estimulante y horrible. No era un niño ordinario. Además, un dragón buscó devorarlo. De alguna manera el bebé

97

vivió.

¡Imagínate el gran villano del mundo tratando de matar a este niño, quien sobrevivió! Después de que el niño escapó, el dragón se volvió contra ella. De alguna manera ella también vivió. Las maldiciones fueron superadas por las bendiciones.

¿Cómo había eludido a ese dragón y llegado al desierto? Sólo Dios lo sabe. Entonces, una vez en el desierto, todo parecía perdido cuando el diluvio llegó, pero entonces -Dios sabe cómo- la tierra abrió su boca y se tragó ese diluvio. Podrías pensar que sus enemigos se oponían al mismo Dios, y que sus esfuerzos siempre se frustraban.

¿Reconoces estos eventos? ¿Suenan como Ezequiel 16 y Apocalipsis 12? En Ezequiel 16 encontramos a Israel personificado como la niña encontrada en su sangre, a la que Dios dio vida. Luego, cuando Israel creció hasta la madurez, cometió adulterio espiritual contra el Señor. En Apocalipsis 12, María simboliza tanto a Israel como a la Iglesia. Ella da a luz a Jesús, y el dragón trata de comérselo vivo tan pronto como nace. Esta parte sobre el dragón es una interpretación simbólica de los esfuerzos de Satanás a través de Herodes para matar a Jesús. Entonces la madre, que simboliza el pueblo de Dios, es preservada a través del desierto contra todos los esfuerzos de Satanás para destruirla.

La Biblia puede ser desconcertante, ¿no? El mundo y los eventos de nuestras vidas no pueden ser menos confusos. ¿Qué vamos a hacer con los dragones que tratan de comerse a los bebés, con una mujer llevada en las alas de un águila, y con las bodas de un cordero? ¿Los corderos se casan?

Aquí hay una pregunta importante relacionada con las que acabo de hacer: ¿Cómo debemos entendernos a nosotros mismos como iglesia? Ahora una pregunta ligeramente diferente, aunque relacionada: si la iglesia es tan especial en el plan de Dios, ¿por qué parece tan poco impresionante?

Si te estás preguntando cuál es el punto principal de esta

sección, déjame decirlo inmediatamente: la historia y el simbolismo de la Biblia nos enseñan como iglesia a entender quiénes somos, a qué nos enfrentamos y cómo debemos vivir mientras esperamos la llegada de nuestro Rey y Señor.

Miramos la historia de la Biblia en la parte 1, y la forma en que el simbolismo de la Biblia (imágenes, tipología y modelos narrativos) resume e interpreta esa historia en la parte 2. Ahora en la parte 3 exploramos cómo estas cosas nos ayudan a pensar en la iglesia. Lo haremos basándonos en lo que hemos visto de historias y símbolos hasta ahora.

Mientras pensamos en la iglesia y en la historia, estas preguntas nos ayudarán a reflexionar sobre el lugar de la iglesia en la teología bíblica: ¿Qué papel juega la iglesia en la historia de la Biblia? ¿Quién es ella? ¿Cuál es su escenario? ¿Qué crea la tensión en su parte de la trama a medida que se desarrolla la narración más amplia? ¿Cómo se resuelve esa tensión?

Cuando pensamos en la forma en que los autores bíblicos simbolizan la iglesia, estamos explorando cómo el simbolismo que usaron resume e interpreta el lugar de la iglesia en la historia. No queremos simplemente pensar en la historia y el símbolo; queremos ser arrastrados por ellos. Queremos ser identificados por estos símbolos. La teología bíblica no es sólo un tema interesante. Informa sobre quiénes somos y cómo vivimos. Es una forma de salir de un mundo falso al real, un transportador que nos permite habitar la historia de las Escrituras. La Biblia es la verdadera Guía del viajero intergaláctico, y la teología bíblica es el Corazón de Oro que improbablemente nos traslada al mundo real. Nos dedicamos a la teología bíblica para no malinterpretar lo que nos pasa al buscar nuestra identidad en un mundo falso y desperdiciar nuestras vidas.

La verdadera historia del mundo y el lugar de la iglesia en él, es un cuento estupendo. Lo mejor de todo es que es verdad. Esta verdadera historia del mundo tiene más pena y alegría, más drama y emoción, más esperanza y satisfacción que cualquier otra historia que el mundo haya conocido.

El bebé en su propia sangre fue limpiado. La dama arruinada fue renovada. La adúltera se transformó en la novia pura porque su prometido murió para salvarla. "Grande es este misterio; mas yo digo esto respecto de Cristo y de la iglesia." (Ef. 5:32).

Consideremos la identidad, el escenario y el papel de la iglesia en la trama.

# 11

# LA IDENTIDAD DE LA IGLESIA EN LA HISTORIA

La iglesia es un grupo de creyentes bautizados en Jesús, ¿verdad? Seres humanos. Aquellos que creen, unidos en una esperanza en un solo Señor, compartiendo una fe, habiendo experimentado el mismo bautismo, y adorando a un solo Dios por el poder del Espíritu (cf. Ef. 4:4-6).

Siguiendo el precedente del Antiguo Testamento de hablar del pueblo de Dios metafóricamente, Jesús y los apóstoles hablaron de la iglesia metafóricamente. Las metáforas identifican las cosas con lo que no son. El punto de una metáfora es capturar una verdad sobre la cosa metafórica. Así que Dios no es una piedra, pero la verdad de que Dios es estable, inmutable, sólido y confiable se comunica cuando decimos, "El Señor es mi roca" (Sl. 18:2). Jesús y sus apóstoles también usaron metáforas para comunicar la verdad sobre la iglesia.

## OVEJAS DEL PASTOR

Por ejemplo, Jesús podría referirse a su pueblo como ovejas, pero no son pequeños animales peludos de cuatro patas; son personas. Jesús llama ovejas a su pueblo porque las ovejas tienen características que su pueblo tiene. Las ovejas son cuidadas y conducidas por pastores, y Jesús es el Buen Pastor. Los pastores protegen a las ovejas, incluso arriesgando sus propias vidas. Jesús dio su vida para proteger a sus ovejas.

¿Es Jesús tu pastor? ¿Es usted cristiano? Si tienes dudas, te animo a que dejes de leer este libro y vayas a leer Romanos de principio a fin. Fíjese especialmente en la declaración de Romanos 10:13 que "todo aquel que invoque el nombre del Señor será salvo".

No encontrarás un mejor pastor que Jesús. Queremos ser personas formadas por el Salmo 23, confesando que el Señor es nuestro pastor, pensando en nosotros mismos como los que están a su cuidado, y viviendo de esta manera también.

## NOVIA DE CRISTO

La iglesia es un grupo de personas, no una mujer individual que se abre camino por el pasillo. Pero la intimidad entre Jesús y su pueblo se aproxima a la del matrimonio. Efesios 5:22-33 enseña que el amor sacrificial de Jesús por su pueblo debe reflejarse en el amor del marido por su esposa. La sumisión de la iglesia a Jesús debe reflejarse en la sumisión de la esposa a su marido. La espera entre la identificación del pueblo de Jesús y su salvación final es como la espera entre los prometidos y la gran celebración del día de la boda. (cf. Ef. 1:13-14).

Por todas estas razones y más, Jesús se identifica como el Esposo cuando se le pregunta por qué sus discípulos no ayunan (Marcos 2:19), y Él les cuenta a través de parábolas sobre un banquete de bodas para describir su reino venidero (Mt. 22:1-14; 25:1-13). Pablo dice que el misterio del matrimonio es sobre Cristo y la iglesia (Ef. 5:22-33). Los creyentes son representados como vírgenes puras (Ap. 14:4), y cuando Jesús regresa por su pueblo, la multitud anuncia que las bodas del Cordero han llegado y la novia se ha preparado (Ap. 19:7).

Esta metáfora de la iglesia como novia tiene como objetivo construir nuestra identidad. Debemos pensar en nosotros mismos en términos de novia. No debemos cometer adulterio espiritual contra el Señor Jesús. Debemos reservarnos para el Novio, como una novia se reserva para su marido.

## CUERPO DE CRISTO

La declaración de Pablo de que el matrimonio se refiere a Cristo y a la iglesia (Ef. 5:32) sigue inmediatamente a su cita de Génesis 2:24, declarando que el hombre y la mujer se convierten en una sola carne en el matrimonio (Ef. 5:31). Esta cita de Génesis sigue inmediatamente a la declaración: "Somos miembros de su cuerpo" (Ef. 5:30), y antes en el pasaje Pablo se refiere a Cristo como "la cabeza de la iglesia, su cuerpo" (5:23).

Hay una conexión, entonces, entre la unión en una sola carne de un hombre y una mujer casados y la unión con Cristo experimentada por los creyentes. El uso de la metáfora de la novia y el novio y la metáfora de la cabeza y el cuerpo en Efesios 5, significa que ambas se interpretan mutuamente. La metáfora de la cabeza y el cuerpo enfatiza el liderazgo de Cristo, al que la iglesia se somete (Ef. 5:24). La cabeza dirige el cuerpo, determinando lo que el cuerpo hará, y el cuerpo pone en acción lo que la cabeza ha decidido (Col. 1:18).

La metáfora del cuerpo también comunica la unidad de la iglesia (Col. 3:15). La iglesia es un solo cuerpo que ha sido reconciliado con Dios a través de la muerte de Cristo (Ef. 2:16). No hay diferentes cuerpos en la iglesia, divididos según sean judíos y gentiles o blancos y negros. La unidad de la iglesia trasciende las divisiones raciales (Ef. 3:6).

El ministerio de la iglesia es un proceso de edificación del cuerpo (Ef. 4:12, 16). Los diversos dones del Espíritu dados a la iglesia son para este propósito (1 Cor. 12:1-31). El Espíritu nos bautiza en el cuerpo cuando estamos unidos por la fe a Cristo en su muerte y resurrección al sumergirnos en las aguas bautismales (1 Cor. 12:12-13). El Padre elige. El Hijo redime. El Espíritu sella.

La membresía de la iglesia se construye sobre esta metáfora del cuerpo. Pablo escribe en 1 Corintios 12:27, "Vosotros sois el cuerpo de Cristo y miembros cada uno en particular." Estamos unidos unos a otros y a Cristo. Un cristiano que no es miembro de una iglesia es como una mano o un ojo que no está unido al resto del cuerpo. ¿Puede vivir? ¿Será útil?

Estamos unidos unos a otros en virtud de nuestra unión con Cristo. Nos necesitamos unos a otros como una rodilla necesita el resto de la pierna, como la pierna necesita el pie, y todos debemos estar conectados a la cabeza, Cristo.

Estas metáforas son para dar forma a nuestra comprensión de nosotros mismos. Somos la novia de Cristo, y somos su cuerpo, unidos a él de una manera que se aproxima a la unión en una sola carne de un hombre y una mujer en matrimonio.

## LA FAMILIA ADOPTADA DE DIOS

La iglesia es la novia y el cuerpo de Cristo, y sus miembros son los hijos adoptivos (Ro. 8:15), renacidos del Padre. Esto nos hace parte de la familia de Dios (1 Juan 3:1, 10; 5:2), miembros de su familia (Ef. 2:19).

Esta adopción pertenecía anteriormente a Israel (Ro. 9:4), por lo que Dios identificó a Israel como su hijo primogénito (Ex. 4:22). En el plan eterno de Dios, es la iglesia la que es adoptada (Ef. 1:5).

No estamos descuidados. Somos las ovejas del Buen Pastor. No estamos abandonados. Somos los amados del Novio. No estamos solos. Somos miembros de su cuerpo. No somos extraños. Somos adoptados en la familia de Dios.

Si no eres creyente en Jesús, ¿quién te cuida? ¿Quién vendrá por ti? ¿A quién te unes? ¿Tienes familia? Si te arrepientes de tu pecado y confías en Jesús, puedes ser parte de la familia de Dios.

## TEMPLO DEL ESPÍRITU SANTO

Jesús dijo: "Edificaré mi iglesia" (Mt. 16:18). Él mismo es la piedra angular, y la iglesia está construida sobre el fundamento de los apóstoles y profetas (Ef. 2:20). Toda la iglesia está siendo unida y creciendo para ser un templo santo del Señor (Ef. 2:21). Los miembros de la iglesia son piedras vivas en esta casa espiritual, que también es un sacerdocio santo, ofreciendo sacrificios espirituales a Dios (1 Pe. 2:5).

No somos un páramo estéril, deshabitado y sin caminos. Nuestras vidas están habitadas por el Dios vivo. Somos el templo del Espíritu Santo (1 Cor. 3:16). Dios habita en nuestras alabanzas (Sl. 22:3).

Como creemos en la Biblia, el Espíritu Santo nos media la presencia de Cristo y nos llena de Dios (Ef. 3:14-19). La idea de que la iglesia es el templo del Espíritu Santo está directamente conectada con el escenario de la iglesia en la gran historia de la Biblia.

# 12

# EL ESCENARIO DE LA IGLESIA EN LA HISTORIA

El escenario todavía preocupa a todo el mundo. Cuando Dios puso a Adán en el jardín del Edén, la responsabilidad de Adán era expandir sus fronteras para que la gloria de Dios cubriera la tierra seca como las aguas cubren el mar. Adán fue expulsado del jardín. Cuando Dios puso a Israel en la tierra, la responsabilidad de la nación era expandir sus fronteras para que la gloria de Dios cubriera la tierra seca como las aguas cubren el mar.

En el camino a la tierra Prometida, Dios le dio a Israel un símbolo del escenario de la historia cuando instruyó a la gente a construir el tabernáculo como una representación del mundo. El templo más tarde reemplazó este tabernáculo. La presencia de Dios en el tabernáculo y el templo requería que todo en él fuera sagrado, y que todo a su alrededor fuera limpio.

Esto habla de la presencia de Dios en la iglesia y de la necesidad de santidad y disciplina. Las iglesias que no tienen disciplina ponen en peligro la vida de aquellos que, como Nadab y Abiú (Levítico 10), desatienden las instrucciones de Dios al acercarse a él y se arriesgan a ser consumidos por un estruendo de su santidad (cf. 1 Cor. 11:27-32).

Estas realidades - que el templo es un símbolo del cosmos, y que la iglesia es el templo del Espíritu - significan que la iglesia es un anticipo de lo que el mundo va a ser. La iglesia es una imagen del nuevo templo. Los redimidos que están en la presencia de Dios, que lo conocen, disfrutan de él, le sirven y viven para él, así es como será el mundo entero en la era venidera.

Así como Dios puso a Adán en el jardín para extender sus fronteras para que la gloria de Jehová cubriera la tierra seca como las aguas cubren el mar, Dios puso a Israel en la tierra para asumir esa misma tarea, dándoles un anticipo de cómo se vería cuando llenara el tabernáculo y el templo con su gloria. Jesús envió a sus discípulos con el mismo encargo a todas las naciones: a medida que se hacen discípulos, el templo crece, el lugar de la presencia de Dios se expande, y la gloria de Dios se extiende sobre la tierra seca. En la era venidera, estas realidades se realizarán plenamente. La tierra estará llena del conocimiento de la gloria de Dios.

El hecho de que la iglesia es el templo del Espíritu Santo parece informar lo que Pablo dice en 1 Corintios 7:14 acerca de que los cónyuges incrédulos son "santificados". El incrédulo todavía necesita arrepentirse y creer (1 Cor. 7:16), pero la santidad contagiosa es impartida al incrédulo por el creyente con el que está unido en matrimonio (7:14). Estas ideas también parecen ser lo que Pablo tiene en mente cuando habla de que los niños son "inmundos" si no se mantienen en contacto con el templo del Espíritu, el padre creyente.

Ya no estamos en una asignación específica de tierra, pero nuestra responsabilidad sigue siendo cubrir la tierra seca con la gloria de Dios como las aguas cubren el mar. El pueblo de Dios ya no es una nación sociopolítica con fronteras. Somos transnacionales. Ya no somos una entidad étnica con un ejército. Somos de todas las naciones.

Bajo el antiguo pacto, la nación de Israel sometió a las naciones de alrededor por medio de conquistas militares, poniéndolas bajo la autoridad de la ley del Señor. En el nuevo pacto, la iglesia no tiene una agenda militar. Más bien, buscamos llevar a la gente a nuestro punto de vista persuadiéndolos a creer lo que nosotros creemos, convenciéndolos de que se sometan a la autoridad del Señor.

Ya no vamos al templo de Jerusalén para adorar al Señor. Ahora adoramos al Señor en Espíritu y en verdad dondequiera que el pueblo de Dios se reúna (Juan 4:21-24).

Pensar en el escenario también nos devuelve a otro aspecto de nuestra identidad. Ya no estamos en la esclavitud, pero aún no estamos en casa. Somos como los israelitas. Fueron esclavos en Egipto hasta que Dios los redimió, y luego fueron peregrinos, haciendo su camino hacia la Tierra prometida. Nosotros también hemos sido liberados de la esclavitud del pecado, y somos viajeros. Somos exiliados del Edén que han escuchado la llamada para salir de Babilonia, y ahora estamos regresando del exilio. Nuestro destino es la ciudad santa, la Nueva Jerusalén, bajando del cielo de Dios (Ap. 21:10). Habitaremos en el nuevo y mejor Edén, el cumplimiento de la Tierra Prometida, los nuevos cielos y la nueva tierra.

# 13

## LA TENSIÓN DE LA TRAMA
## DE LA IGLESIA Y SU RESOLUCIÓN

La historia y el simbolismo de la Biblia enseñan a la iglesia a entender quién es, a qué se enfrenta y cómo debe vivir mientras anhela la llegada de su Rey y Señor. Esto debería ser fácil, ¿verdad? ¿Qué tiene de difícil ser la novia y el cuerpo de Cristo? ¿Qué tiene de difícil ser la familia de Dios, el templo del Espíritu Santo?

¿No debería ser este viaje a través de estas tierras estériles en nuestro camino hacia los nuevos cielos y la tierra nueva algo así como una expedición sin riesgos y con garantía de seguridad? ¿No debería ser algo que sea emocionante, como un viaje en una montaña rusa, aterrador, pero seguro?

¿Es así como se siente tu vida? Puede parecer así a veces, tal vez cuando reflexionas sobre tu seguridad en Cristo y tu certeza de que Dios vencerá a todos sus enemigos. Pero no creo que la vida se sienta típicamente así, incluso para aquellos que meditan en la Palabra de Dios día y noche. Y no es sólo porque de alguna manera hemos perdido la perspectiva y no estamos pensando en ello correctamente. Considere los Salmos.

Los autores de los Salmos sienten que están constantemente en peligro mortal. No hablan como si la vida fuera una montaña rusa sin riesgo. La vida es realmente peligrosa. Realmente amamos a la gente. Realmente tememos que la gente que amamos sea lastimada. Realmente nos enfrentamos a las tentaciones. Hemos visto a gente que pensábamos que era santa tener fallos morales y hacer naufragar la fe, gente que pensábamos que eran pilares de la iglesia. Hemos visto matrimonios de más de cincuenta años terminar en divorcio.

¿Sientes la tensión en la trama de la iglesia? La historia de la iglesia es que Cristo ha muerto como el Cordero de la Pascua, liberando a los creyentes de la esclavitud del pecado. Después de la Pascua, Moisés llevó a Israel al Monte Sinaí, donde el pueblo recibió la ley y el pacto. Cristo es nuestro nuevo Moisés que nos ha dado una nueva y mejor ley como parte de un nuevo y mejor pacto. Israel viajó a través del desierto a la Tierra prometida. Ahora estamos viajando a través de este mundo en el camino a una nueva y mejor tierra de la promesa, los nuevos cielos y la nueva tierra. Una vez en la tierra, David reinó sobre Israel como rey. Jesús, nuestro nuevo y mejor David, es nuestro Rey, y reinará en justicia y rectitud y nunca nos fallará.

Aun así, sabemos que la trama de la iglesia está llena de tensión porque vivimos esa tensión. Sentimos nuestras preocupaciones, nuestras cargas y nuestras enemistades. Pero Dios nos ha dado tantos privilegios que deberíamos maravillarnos de que el autor de la historia de la iglesia, sea capaz de producir una tensión real y convincente en la trama de esta historia.

Vimos que fue la tentación de Satanás sobre Adán y Eva la que les ganó cuando pecaron, lo que introdujo tensión en la gran historia de la Biblia. Aunque Satanás ha sufrido una derrota decisiva en la cruz de Cristo, aún no ha sido trasladado a su jaula eterna. Ha sido derrotado, pero no se ha rendido. Ha sido expulsado del campo de batalla celestial, pero ha bajado a la tierra por un tiempo y está haciendo la guerra a la mujer y a su descendencia (Ap. 12:7-17).

¿Por qué Dios permitiría esto? Puede que no podamos dar una respuesta completa a esa pregunta, pero sabemos que Dios lo permite. También sabemos que Dios no se sorprende por ello. No es que Satanás haya sacado lo mejor de Dios al evitar ser capturado.

¿Cómo sabemos eso? Porque este tiempo de aflicción para el pueblo de Dios fue profetizado en el Antiguo Testamento. Daniel 7:23-25 describe una persecución satánica del pueblo de Dios antes de que el pueblo de Dios reciba el reino descrito en 7:26-27. Daniel 12:7 habla de "Y cuando se acabe la dispersión del poder del pueblo santo" llegando a su fin antes de que todas las cosas se lleven a cabo.

La imagen que se nos da del final es paralela a la que vemos en la cruz: Satanás pensó que había derrotado a Dios cuando el Mesías fue crucificado, pero Dios logró la victoria a través de lo que parecía una derrota. Ahora, el pueblo del Mesías conquistará de la misma manera que Jesús: siendo fiel hasta la muerte frente a la oposición satánica.

Satanás no está intentando una nueva estrategia contra la iglesia. Está siguiendo la misma estrategia que siguió contra el Mesías. Satanás está tratando de destruir la iglesia de la misma manera que trató de destruir a Jesús. Dios obtendrá la gloria sobre Satanás al mismo tiempo que la iglesia es fiel hasta la muerte de la misma manera que obtuvo la gloria sobre Satanás como Jesús conquistó al ser fiel hasta la muerte.

Por eso el Nuevo Testamento tiene tanto que decir sobre la tribulación y la aflicción. Satanás está tratando de destruir la iglesia con estas aflicciones y tribulaciones. A través de estas mismas tribulaciones y aflicciones, Dios está mostrando su poder en la debilidad de la iglesia. Es por eso que Pablo le dijo a las iglesias que "a través de muchas tribulaciones debemos entrar en el reino de Dios" (Hechos 14:22).

El sufrimiento del Mesías y del pueblo del Mesías se conoce a veces como los males mesiánicos. Si eres un creyente en Jesús, eres la novia y el cuerpo de Cristo, eres parte de la familia de Dios, eres el templo del Espíritu Santo, y, aunque parezca sorprendente, tu vida va a ser dura, no fácil, porque no evitarás las aflicciones mesiánicas. Si fue necesario que el Mesías primero sufriera y luego entrara en su gloria (Lucas 24:26), también es necesario que la iglesia pase por muchas tribulaciones y luego entre en el reino (Hechos 14:22).

Irónicamente, la única manera de evitar las tribulaciones y aflicciones es unirse al equipo perdedor. Únete a Satanás contra Dios, y las aflicciones mesiánicas no serán tuyas. En

115

su lugar, tendrás mundanalidad. Pero verás que la mundanalidad no satisface tu alma. Verás que la lujuria de los ojos, la lujuria de la carne y la soberbia de la vida te dejan la boca seca, la garganta reseca y la barriga llena de grava. Encontrarás tu vida arruinada por los fugaces placeres del pecado.

Pero si confías en Jesús, te arrepientes del pecado y caminas con él a través de las aflicciones mesiánicas, encontrarás que él está contigo cuando pases por el fuego (Is. 43:2). Encontrarás que cuando parece que no hay esperanza, el amanecer se abre y el Salvador viene. Encontrarás que tu quebrantamiento es una oportunidad para que él muestre su poder de sanidad. Verás que cuando estés agotado es cuando te llevará en alas de águila porque esperas en él.

Encontrarás lo que encontró Pablo (cf. 2 Cor. 6:8-10):
• Aunque el mundo te trata como un impostor, tú eres sincero;
• Aunque eres desconocido a los ojos del mundo, eres conocido por aquel cuya opinión importa;
• Aunque mueras, vivirás;
• Aunque sientes una profunda pena, siempre te alegras;
• Aunque eres pobre, haces a muchos ricos;
• Aunque no tienes nada, lo posees todo.

Descubrirás que aunque las aflicciones mesiánicas conviertan tu vida en cenizas, Dios embellece estas aflicciones y te da fuerza en lugar de lágrimas (Is. 61:3). El llanto durará por la noche; la alegría vendrá por la mañana (Sl. 30:5).

La historia y el simbolismo de la Biblia enseñan a la iglesia a entender quién es, a qué se enfrenta y cómo debe vivir mientras anhela la llegada de su Rey y Señor. Debemos seguir a Jesús, siendo fieles hasta la muerte, amando a Dios y al prójimo, dando nuestras vidas por los demás como él dio la suya por nosotros.

No te equivoques: la gente a nuestro alrededor viven sus vidas a la luz de una historia más grande. Para muchos, la historia que explica sus vidas es una imitación satánica barata de la verdadera historia del mundo. Por eso esperan que algún político sea su mesías. Por eso esperan que la medicina les dé vida eterna, por eso miran a la evolución como su mito de la creación, y esperan "cambiar el mundo" en un reino mediante maquinaciones políticas, fallos judiciales o triunfos legislativos.

No le estoy quitando nada a la búsqueda de hacer todo lo posible por la gloria de Dios y el bien de los demás. Simplemente estoy afirmando que fuimos hechos para vivir en la historia real, no una imitación ficticia de ella con sus chamanes o científicos, sacerdotes o expertos, profetas o políticos.

El nombre de Dios será santificado. El reino de Dios vendrá. La voluntad de Dios será hecha, en la tierra como en el cielo. Esa es la historia que cuenta la Biblia.

¿Cómo será cuando Dios finalmente redima a su pueblo? Será como el día de la boda. La novia se habrá preparado con buenas obras, que son el fino vestido nupcial de lino blanco (Ap. 19:6-8). Y el Esposo como ningún otro vendrá (Ap. 19:11-16).

*Batalla ganada.*
*Guerra terminada.*
*Victoria completa.*
*Sufrimiento cumplido.*

*Malestares cumplidos.*
*Promesas cumplidas.*
*Amantes fieles.*
*Alegría eterna.*

*Esperanza realizada.*
*Vista de fe.*
*El reino viene.*
*Nombre santificado.*

117

# EPÍLOGO

La teología bíblica es un intento de salir de este mundo a otro. Podríamos llamarlo un puente; podríamos llamarlo un cohete. El punto es que estamos tratando de sacar nuestras mentes y corazones de la mundanalidad y entrar en el universo simbólico de la Biblia.

Cuidado: no piense que estudiar teología bíblica va a hacer esto por usted. La mejor manera de aprender teología bíblica, la mejor manera de salir de la forma de pensar del mundo y entrar en la Biblia es estudiar la propia Biblia. No hagas esto más difícil de lo que tiene que ser. Lee la Biblia. Léela constantemente.

He descubierto que la mejor manera de ver la interconexión de la Biblia es leer grandes fragmentos de la Biblia de una sola vez. En lugar de leer la Biblia en pequeños fragmentos, ¿por qué no sentarse y leer todo lo que se pueda del Génesis de una sola vez? Dedicarse de verdad al estudio de la Biblia. Tómese una semana e intente leer todo el Antiguo Testamento directamente. Tomaría toda la semana y más, pero ¿puede pensar en una mejor manera de pasar una semana?

Al leer la Biblia en grandes fragmentos, aprendo más si marco las conexiones entre capítulos o libros o autores con lápices de colores. Así puedo encontrar esa cita de Deuteronomio 4:29 en Jeremías 29:13, por ejemplo.

Otra cosa que me ha ayudado enormemente ha sido leer la Biblia dirigida por un libro de teología bíblica. Mi comprensión del Antiguo Testamento se enriqueció al leer la teología del Antiguo Testamento de Paul House junto con mi lectura del propio Antiguo Testamento. Dejaba que House me presentara una sección de, digamos, el Génesis, y luego iba a leer esa porción del Génesis. Mi libro "La Gloria de Dios en la Salvación a través del Juicio: Una teología bíblica", va libro por libro a través de toda la Biblia, y una gran manera de usarlo sería leer ese libro junto con tu lectura habitual de la Biblia.

Si está interesado en profundizar en la teología bíblica, lo que sigue es una breve lista de libros sobre este tema que puede consultar a continuación.

# PARA LECTURA ADICIONAL

## TEOLOGÍAS BÍBLICAS DE TODA LA BIBLIA

• Hamilton, James M., Jr. La gloria de Dios en la salvación a través del juicio: Una teología bíblica. Cali, Colombia: Editorial Monte Alto, 2020.
• Gentry, Peter y Stephen Wellum. Kingdom through Covenant: A Biblical-Theological Understanding of the Covenants {Trad. no oficial: El Reino a través de Pactos: Un entendimiento bíblico-teológico de los pactos}. Wheaton, IL: Crossway, 2012.
• Schreiner, Thomas R. The King in His Beauty: A Biblical Theology of the Old and New Testaments {Trad. no oficial: El Rey en su belleza: Una teología bíblica del Antiguo y Nuevo Testamento}. Grand Rapids: Baker, 2013.

## TEOLOGÍAS DEL ANTIGUO TESTAMENTO

• House, Paul R. Old Testament Theology {Trad. No oficial: Teología del Antiguo Testamento}. Downers Grove, IL: InterVarsity, 1998.
• Dempster, Stephen G. Dominion and Dynasty: A Biblical Theology of the Hebrew Bible {Trad. No oficial: Dominio y Dinastía: Una teología bíblica de la Biblia hebrea. Nuevos estudios de teología bíblica}. Downers Grove, IL: InterVarsity, 2003.

## TEOLOGÍAS DEL NUEVO TESTAMENTO

• Ladd, George Eldon. A Theology of the New Testament {Trad. No oficial: Una teología del Nuevo Testamento}. Editado por Donald Hagner. Rev. ed. Grand Rapids: Eerdmans, 1993.
• Thielman, Frank. Theology of the New Testament: A Canonical and Synthetic Approach {Trad. No oficial: Teología del Nuevo Testamento: Un enfoque canónico y sintético. Grand Rapids: Zondervan, 2005.
• Schreiner, Thomas R. New Testament Theology: Magnifying God in Christ {Trad. No oficial: Teología del Nuevo

Testamento: Magnificando a Dios en Cristo}. Grand Rapids: Baker, 2008.
• Beale, G. K. Una Teología Bíblica del Nuevo Testamento: El Desarrollo del Antiguo Testamento en el Nuevo. Oregom: Kerigma Publicaciones, 2020.

## LIBROS SOBRE EL TEMA DE LA TEOLOGÍA BÍBLICA

• Alexander, T. D., Brian S. Rosner, Graeme Goldsworthy y D. A. Carson, editores. New Dictionary of Biblical Theology {Trad. No oficial: Nuevo Diccionario de Teología Bíblica}. Downers Grove, IL: InterVarsity, 2000.
• Goldsworthy, Graeme. Estrategia Divina: El Desarrollo de la revelación divina en la Biblia. España, IL: Publicaciones Andamio, 2011.
• Alexander, T. D. From Eden to the New Jerusalem: Exploring God's Plan for Life on Earth {Trad. No oficial: Del Edén a la Nueva Jerusalén: Explorando el plan de Dios para la vida en la Tierra}. Nottingham, Reino Unido: InterVarsity, 2008.
• Lawrence, Michael. La teología bíblica en la vida de la Iglesia: Una guía para el ministerio. Cali, Colombia: Editorial Monte Alto, 2020.

121

# RECONOCIMIENTOS

La trompeta sonará, el arcángel dará la voz, los cielos se dividirán y él vendrá: Rey de reyes, Señor de señores, Linaje de David, León de Judá, descendiente de la mujer, Cordero en pie como inmolado, esperanza del mundo, sanador de los enfermos, levantador de los muertos, consuelo para toda aflicción, gozo del deseo del hombre, el que es digno de honra y alabanza, vencedor de la muerte, autor de la fe, campeón, Cristo. Ese día el reino del mundo se convertirá en el reino de nuestro Señor y de su Cristo, y él reinará para siempre. Aleluya.

El mundo que viene no conocerá armas o guerras, ni corazones que engañen, ni la ira de las naciones. Los leones comerán paja como el buey y los niños pequeños jugarán junto al agujero de la cobra: nada que temer, porque la maldición se reducirá y el desierto será como la tierra del Edén. La historia de la Biblia aterriza en un nuevo y mejor Edén, nuevos cielos y una nueva tierra, y seremos como Jesús, porque lo veremos tal como es.

El Salmo 1 describe la bendición de meditar en la Biblia, y la poesía representa el deleite en la Palabra de Dios produciendo una persona que es como un árbol plantado en el jardín del Señor. Estar siempre atento a la Palabra del Señor es estar siempre atento al mismo Señor. Estar siempre atento al Señor es caminar con él, permanecer en él, y ¿no era eso lo mejor del Edén de todos modos? Así, la teología bíblica, que busca formar la mente de acuerdo a las Escrituras para entender y abrazar la visión del mundo de los autores bíblicos como se refleja en sus escritos, nos lleva fuera de este mundo a otro. El mundo al que nos lleva la teología bíblica es el mundo que está por venir.

Feliz el pueblo cuyo Dios es el Señor, que tiene acceso a su Palabra, que medita día y noche, caminando con él; porque permanecer en él convierte los páramos sin caminos en un jardín al fresco del día, como él mismo se convierte en un refugio para la sombra de día y un refugio del viento y la lluvia. No hay nadie como el Señor.

Mi alabanza y agradecimiento, entonces, son para Dios Padre a través de Cristo el Hijo por el poder del Espíritu Santo. Él nos ha dado su Palabra, y qué regalo es. ¡Y no escatimó a su propio Hijo! -¡Qué gran amor! Ninguno más grande. Y la vida por el Espíritu, y el perdón en Cristo, dulce y tierna misericordia, derrite el corazón de piedra.

¿Cómo puedo agradecer al Señor por todos sus beneficios para mí? Mi esposa es una maravilla más allá de las palabras, y nuestros hijos traen alegrías más allá de lo que podríamos haber imaginado o esperado (¡a veces preocupaciones en el mismo orden!). Estamos muy agradecidos por el amplio círculo de personas que disfrutan con nosotros en Kenwood Baptist Church del abrebocas del mundo que viene. La Palabra de Dios es rica, las ordenanzas del bautismo y la Cena del Señor nos emocionan y nos sostienen, los músicos son hábiles, y nuestros corazones por la gracia están llenos de fe, esperanza y amor.

Dedico este libro a nuestra hija, Evie Caroline, con la oración de que la teología bíblica la lleve hasta la ciudad que tiene cimientos, cuyo arquitecto y constructor es Dios.

# INDICE GENERAL

# INDICE DE LAS ESCRITURAS